O que vi, aprendi e recomendo para a vida

Copyright© 2018 by Literare Books International
Todos os direitos desta edição são reservados à Literare Books International.

Presidente:
Mauricio Sita

Capa:
Julyana Rosa e Lucas Chagas

Diagramação e projeto gráfico:
David Guimarães

Revisão:
Daniel Muzitano

Revisão artística:
Edilson Menezes

Diretora de projetos:
Gleide Santos

Diretora de operações:
Alessandra Ksenhuck

Diretora executiva:
Julyana Rosa

Relacionamento com o cliente:
Claudia Pires

Impressão:
Gráfica Epecê

Dados Internacionais de Catalogação na Publicação (CIP)
(Câmara Brasileira do Livro, SP, Brasil)

Marciano, Orlando
  O que vi, aprendi e recomendo para a vida / Orlando Marciano. -- São Paulo : Literare Books International, 2018.

  ISBN 978-85-9455-078-1

  1. Administração de empresas 2. Carreira profissional - Desenvolvimento 3. Empresários - Autobiografia 4. Experiências de vida 5. Liderança 6. Sucesso nos negócios I. Título.

18-13879   CDD-650.1

Índices para catálogo sistemático:

1. Sucesso nos negócios : Administração 650.1

Literare Books International
Rua Antônio Augusto Covello, 472 – Vila Mariana – São Paulo, SP
CEP 01550-060
Fone/fax: (0**11) 2659-0968
site: www.literarebooks.com.br
e-mail: literare@literarebooks.com.br

Prefácio

Orlando e eu começamos a trabalhar com a mesma idade – 16 anos – no mesmo momento e na mesma empresa – a Cica, em Jundiaí. Isso foi em 1966, um tempo em que as relações de trabalho eram bem diferentes do que são atualmente. Por exemplo, o chefe era o chefe. Os subordinados não ficavam discutindo as determinações que recebiam do superior imediato, apenas as executavam. E o respeito dedicado a qualquer pessoa que ocupasse um cargo de comando era profundo, quase reverencial. Reclamar em voz alta era algo que um empregado somente podia ousar fazer quando completasse dez anos de empresa e ganhasse a estabilidade (porque o tempo de casa passava a contar em dobro). Esse privilégio se encerrou em 1967, com a implantação do FGTS, o Fundo de Garantia do Tempo de Serviço, mas, para adolescentes como o Orlando e eu, a nova sistemática não alterava muita coisa. Nós sabíamos que ainda teríamos que comer muita poeira até que algum dia, eventualmente, viéssemos a ser considerados para uma promoção.

O que vi, aprendi e recomendo para a vida

Uma promoção que era, então, mais um sonho do que uma possibilidade concreta. Porque outro ponto interessante da vida em 1966 era o da disparidade socioeconômica. Praticamente, não havia ainda uma classe média bem estabelecida. A pirâmide social tinha um cume restrito e uma base enorme. Uma promoção significava saltar esse vácuo existente no meio da pirâmide, e essa oportunidade vinha sendo concedida a empregados que já tivessem muitos anos de casa. A obediência pesava mais do que o talento, e a confiança do patrão mais do que o estudo. De certo modo, os filhos da classe menos favorecida eram instados pelos pais a se agarrar ao emprego que haviam conseguido, e não a tentar precocemente galgar degraus na hierarquia.

Em causa e efeito, era a manutenção do status quo, como se pobre não tivesse o direito de ter ambições. Tinha sido assim desde o êxodo dos trabalhadores rurais para as fábricas urbanas na década de 1940, e continuava a ser assim quando Orlando e eu iniciamos nossa jornada profissional em uma empresa de grande porte como a Cica, cujo nome já equivalia a uma certidão que permitia pagar as contas na caderneta ao final do mês, no armazém do bairro. Mas essa situação também iria se transformar de repente, com o advento do chamado Milagre Econômico. Foi um breve período que durou cinco anos, 1969 até 1973, durante os quais a Economia brasileira cresceu incríveis dez por cento anualmente, mesmo que só viéssemos a saber depois que esse crescimento não somente estava longe de ser sustentável, como ainda produziria uma monstruosa dívida externa.

Foi no meio desse suposto milagre, em 1970, que o destino me proporcionou a oportunidade de trabalhar diretamente com o Orlando. Como a maioria das empresas nacionais, a Cica experimentava uma notável fase de expansão, tanto em volume quanto em faturamento. No mercado, havia mais empregos disponíveis do que bons candidatos, e novas oportunidades internas começaram a aparecer para jovens que conseguissem se destacar. Novas áreas foram criadas (no caso da Cica, quase simultaneamente, surgiram os setores de Recursos Humanos, Marketing e Planejamento), e Orlando e eu nos encaixamos nesse último, na seção de programação, apontamento e controle de produção. Eu já o conhecia de conversas e dos infalíveis torneios de futebol de salão, mas só fui descobrir que tínhamos a mesma idade quando começamos a trabalhar juntos. Foi uma surpresa, porque eu pensava que o Orlando fosse mais velho. Não pela aparência, mas pela postura. Ele era sério, pensava antes de falar, pensava duas vezes antes de responder, jamais levantava a voz para provar que tinha razão, e buscava sempre um consenso para não deixar ninguém injuriado numa discussão profissional. Para quem mal tinha completado vinte anos, era uma raridade.

O diferencial do Orlando, já demonstrado naqueles primeiros anos em que convivemos, estava em duas qualidades que só iam entrar nos dicionários corporativos duas décadas depois – resiliência e assertividade. No Brasil, desde mil novecentos e Machado de Assis, sempre campearam dois maus hábitos. Um, o de se esperar que alguém apareça para resolver nossos problemas. E outro, o de ter desculpas bem elaboradas para todas as situações. As exceções são os que acreditam em si mesmos e não desistem quando as conjunções se mostram desfavoráveis. Um belo dia, já no crepúsculo da década de 1980, um amigo me contou que o Orlando havia sido eleito presidente da Coopercica. Eu não sabia dos detalhes (esmiuçados neste livro), mas o desfecho não me surpreendeu. Como também não me causou nenhum espanto o fato de a Coopercica, na gestão do Orlando, ter se tornado uma referência no ramo cooperativista.

O que me dá muita satisfação é nos reencontrarmos nestas páginas. Eu havia deixado a Cica em 1975 e mais de vinte anos depois, em 1999, quando lancei meu primeiro livro, o Orlando me ligou e propôs fazermos o lançamento em Jundiaí numa filial da Coopercica. Foi uma festa, tinha gente que não acabava mais. Agora, tenho o prazer de retribuir a gentileza dando um depoimento no livro que ele escreveu. Mas não se prendam às minhas memórias de um tempo distante que ficou na saudade. O conteúdo desta obra é irrestritamente contemporâneo. É um manual de sacrifícios e recompensas, relatado na primeira pessoa. São ensinamentos que ajudarão a quem estiver ingressando na vida profissional, ou a quem sente que está na hora de dar uma virada na carreira, ou a quem não está precisando de nada, e poderá por meio da leitura relembrar as boas decisões profissionais que tomou na carreira.

Bom proveito!

Max Gehringer

Sumário

Agradecimentos		9
Cap. 1	O pão que a infância amassou, um homem formou	13
Cap. 2	Os anjos da educação inspiram e formam líderes diferenciados	23
Cap. 3	Honestidade é obrigação. Desonestidade requer enfrentamento	31
Cap. 4	A liderança que só a sensibilidade materna sabe ensinar	41
Cap. 5	Aos onze anos, a vida disse: vire-se, lidere e alimente sua família	49
Cap. 6	Sem enfrentar o que é errado, qualquer conquista é uma ilusão	59
Cap. 7	O passado é uma fonte inesgotável de aprendizado	67
Cap. 8	Quando o castigo se torna a maior lição de liderança	75
Cap. 9	Quem nasceu para liderar precisa de espaço	89
Cap. 10	Como construir uma carreira sólida e alcançar os degraus executivos	99
Cap. 11	Toda empresa tem um Peter Parker que pode salvar o líder	111
Cap. 12	Para vencer, estender a mão e ajudar é uma etapa	119
Cap. 13	O que você seria capaz de fazer pela empresa?	127
Cap. 14	Quem é você: puxa-saco ou formador de opinião?	137
Cap. 15	Gestão de conflitos não é gestão por conflitos	147
Cap. 16	Enfrentar os políticos é papel de quem?	163
Conclusão e recomeço	O que fazer depois da carreira executiva	175

Agradecimentos

Dizem que não existe super-herói na vida real. Tio Luiz é uma exceção e a obra vai deixar evidente por que o escolhi para abrir os agradecimentos. Embora não esteja mais entre nós, tenho certeza de que ele vai "ler" como foi a sua participação em minha história. Gratidão é pouco para expressar o que sinto por alguém de tamanha nobreza!

Há mais de 20 anos, experimento uma vida marcada por amor e por companheirismo ao lado de Rita, minha esposa. Posso dizer que ela me ajuda a viver os sonhos. Aos 50 anos, por exemplo, alimentei o sonho de gravar um CD, mas supunha que estivesse meio "passado" para isso. Ela ajudou, motivou, pesquisou, cuidou dos detalhes, escolheu as faixas que eu gravaria e até mesmo o figurino. Alguns anos depois, fez o mesmo com este livro e só descansou quando o realizei. Da união com uma mulher tão especial, nasceu o filho caçula, Felipe, que só me dá orgulho. Iury, meu neto, também nos enche de orgulho e vive conosco.

Juntos, os três tornam os meus dias prazerosos e têm o poder de suavizar o impacto dos problemas que todo executivo enfrenta. Sou grato pela oportunidade de viver num lar de harmonia, e, sem vocês, esse lar seria só uma bela propriedade.

No início da carreira, vivenciei o primeiro casamento com Marlene, que me ajudou bastante em todas as áreas, sempre disposta a vislumbrar o mundo pela perspectiva da fé. Trouxemos à luz três filhos maravilhosos; Alessandro, Flavia e Thiago, que nos deram os netos Caio, Iury, Isabela e Luiza, grandes presentes para todos nós. Sou grato a cada uma dessas existências, sem as quais a minha não faria sentido.

Aos familiares, que testemunharam a minha infância de pouco pão, porém me viram construir uma carreira exitosa e reconhecem os incansáveis esforços que empreendo para trazer orgulho ao sobrenome Marciano, obrigado por confiarem e acreditarem em mim!

Enquanto construía a carreira como executivo, fui atraindo e colecionando amigos numerosos, justos e verdadeiros. Eu lhes agradeço com o coração repleto de amor e espero ter sido tão bom amigo quanto foram para mim!

Todos os anos, parceiros de regiões diversas aparecem nas assembleias desta maravilhosa empresa estatutária que é a Coopercica. Eles fazem isso porque acreditam que sou capaz, ano a ano, de gerir um negócio que coloca sobre a mesa dos semelhantes produtos de qualidade a um preço justo. Uma generosa fatia desse agradecimento é destinada aos quase mil colaboradores da empresa, além dos diretores e dos conselheiros, que acreditam na minha "maneira humana" de gerir pessoas e me prestigiam por meio da Coopercica. E, é claro, aos líderes e às *coaches* que me ajudam a lidar com tantas pessoas incríveis da melhor maneira. Muito obrigado por tantos anos de confiança!

À dona Abadia, por seu amor incondicional, por ter me livrado de várias surras, por tantos valores que me ensinou e pelas várias ocasiões da infância em que a flagrei escolhendo para si a menor porção de carne, para que sobrasse mais aos cinco filhos. Você é a mãe que todos gostariam de ter. Muito obrigado!

O meu pai, Sr. Américo, fica com outra parcela da minha gratidão. Com o seu jeitão rústico de ver a vida e a família, me despertou a coragem de enfrentar o que deve ser enfrentado, me ensinou a liderar sob pressão e dar valor a cada oportunidade. Onde estiver, pai, perdoe as minhas falhas, ao par considere-se perdoado pelas suas. Receba o meu abraço de gratidão e de saudade!

A minha vida está resumida a um antes e um depois da proximidade com Joaquim de Godoy, que me ajudou a quebrar paradigmas e eliminar preconceitos sobre pecado, obrigação, castigo, mágoa e missão. Ensinou-me ainda a importância de perdoar, de erguer a cabeça e de entender que carregamos uma missão evolutiva cujo caminho prevê também o erro. Em algum lugar, tenho certeza de que a sua luz tem brilhado e iluminado o caminho daqueles que dela necessitam. Muito obrigado, amigo de fé!

Todo ser humano, em algum instante da vida, direciona o olhar para as questões existenciais mais profundas. E quando chegou a minha vez, encontrei uma analista que ajudou a enxergar o que estava escondido e até me fez rejuvenescer, diga-se, por meio desse olhar. *Sayonara Della Barba*, muito obrigado por seu profissionalismo!

Ao consultor literário Edilson Menezes, que enriqueceu sobremaneira os detalhes da minha história, deixo também uma carinhosa nota de gratidão!

O que vi, aprendi e recomendo para a vida

Agradeço aos que tentaram, em algum momento, trazer dano à Cica, à Coopercica, aos meus e a mim. Vocês me fizeram aprender, na prática, que cada golpe nas surras da infância serviu para blindar um homem que não compactua com o errado e com o ilícito. Vocês são a prova inequívoca, para mim e para os leitores, de duas constatações: a tentativa de fazer maldade tem vida curta e só prejudica a quem pratica.

A ideia de transformar as vivências em livro visou a trazer novos caminhos a quem vai ler. E pela mera chance de apresentar esses rumos, agradeço aos leitores. Afinal, se o livro está entre as suas mãos, fruto de aquisição ou presente, você permitiu que eu entrasse em sua vida e abriu mão de fazer outras coisas para absorver o conteúdo. Isso tudo faz ecoar uma palavra em minha mente: gratidão!

Capítulo 1

O pão que a infância amassou, um homem formou

Capítulo 1

Aconteceu no pequeno município de Colômbia, com seis mil habitantes que se dividem entre a zona rural e a urbana. Naquela época, quase tudo era campo no distrito de Barretos, interior de São Paulo. E ali, na pequena Colômbia, a sexta geração da família dos Jacinthos administrava a Fazenda Continental, que inclusive sobreviveu ao assédio da vida moderna e ainda cultiva cana-de-açúcar, além de lidar com reflorestamento, gado confinado e outras frentes produtivas.

Meu pai trabalhava para os Jacinthos. Em 1950, no primeiro dia que marcou o mês de agosto, o sol já se escondia quando o vento brando que sempre soprou de Minas Gerais para a pequena Colômbia trouxe também a minha existência, o que talvez explique o motivo pelo qual sempre gostei tanto de Minas.

A família humilde que trabalhava para os fazendeiros Jacinthos celebrava o meu nascimento, e, a partir dali, teriam ainda outros quatro filhos.

O que vi, aprendi e recomendo para a vida

O mercado, as pessoas e as pesquisas sempre especularam como teria sido a infância daqueles que prosperaram em seus setores de atuação. Parece tratar-se de uma curiosidade natural. A palavra enfrentamento marcou a minha vida e ganhou mais força quando ingressei no ambiente corporativo.

Nunca fui e tampouco serei a típica pessoa que compactua com o errado, com o ilícito e com o conformismo. Então, antes de prosseguir, penso que cabe definir o que as pessoas costumam afirmar e repetir sobre essas três questões:

Errado
Sempre fizemos da mesma maneira!
Ilícito
É preciso pagar o fiscal. Faz parte do jogo. Fazer o quê?
Conformismo
Aqui é assim mesmo e sempre será!

Batizei o capítulo com um título que faz jus aos fatos, pois a minha infância teve passagens marcantes. Nem por isso, contudo, eu seria justo se afirmasse que fui infeliz. Do seu jeitão bronco e honesto, severo e competente, intolerante e verdadeiro, meu pai, que nunca tomou assento numa mesa corporativa para despachar e passou a vida inteira ensinando fazendeiros a cultivarem a terra, deixou lições de caráter e de capacidade de liderança que nenhuma faculdade, dentro ou fora do continente, teria como ensinar.

Desde muito cedo, percebi que aquele homem turrão me ensinaria a fazer e ser o melhor em qualquer demanda que assumisse. E ainda muito criança, consegui entender que os conhecimentos de vida do meu pai, muitíssimo valiosos, não seriam repassados a preço baixo.

Da cidade mesmo, conheci muito pouco. O meu pai trabalhava como empreiteiro. Contratado para formar fazendas, assumia locais cercados por mato e nada mais. Em seguida, os transformava de acordo com o que o cliente queria, como belos pastos, variadas plantações, pomares ou lagoas. Foi administrador e até proprietário de fazenda, mas, no início, era como empreiteiro que ganhava a vida.

Como é possível imaginar, mudávamos muito de uma fazenda para outra, isto é, estudar era difícil. Surgia um trabalho e meu pai, corajoso e aventureiro, não tinha medo de encarar desafios. Colocava a mudança sobre o caminhão e levava a família para outros destinos. Mesmo que o trabalho fosse distante, por exemplo, a 300 Km por estradas em péssimas condições, não pensava duas vezes em aceitar.

Dependendo das circunstâncias ou dos perigos que algum novo contrato previa, ele era obrigado a deixar a família e seguir sozinho para a empreitada. Nesses casos, passava vários meses longe de casa.

Quando eu estava com mais ou menos seis anos, não existia condução no vilarejo. Se fosse preciso ir até a cidade, o jeito era a carona do caminhão de leite, em pé, na carroceria. Os poucos remédios eram feitos em casa, quase tudo à base de ervas e placebos variados. Não tínhamos médicos ou estruturas de pronto-socorro por perto. As duas possibilidades eram inegociáveis: adquirir uma resistência muito grande ou não sobreviver.

Quando adentrei na idade escolar, vivíamos em uma das fazendas empreitadas, na região de Santo Antônio do Viradouro, distrito de Valentim Gentil, interior de São Paulo.

O que vi, aprendi e recomendo para a vida

Chácaras e propriedades rurais mais humildes cercavam o lugar, por sinal bem pequeno, que poderia ser resumido pela fábrica de farinha, o esburacado campinho de futebol e a máquina de beneficiar arroz.

Mais de seis décadas depois, minha memória ainda se deita sobre a solidariedade, característica marcante dentre aqueles que pouco têm a dividir.

Naquele centrinho, todos criavam porcos, porque a carne bovina era algo raro, uma espécie de "artigo de luxo". Matava-se um boi aqui e acolá, e cada família comprava um pedaço. Às vezes, ficávamos vários meses sem carne de boi.

Os desafortunados não passam fome, e, de alguma maneira, encontram caminhos para a sobrevivência. Enquanto a escassez da carne bovina tornava-se regra, carne de porco, frango e ovos eram abundantes. Os vizinhos combinavam entre si uma agenda de corte. A cada semana, ou quinzenalmente, uma peça de carne surgia na mesa de cada família.

A "pessoa da vez" matava o seu porco, ficava com uma peça e distribuía o restante entre amigos. Sucessivamente, esses gestos de solidariedade harmonizavam aquela curatela onde morávamos, sem contar os empréstimos; uma "caneca" de açúcar, café ou arroz, por exemplo, evitava a ida até a cidade, que ficava muito distante. Quase tudo era cultivado e produzido ali, mas produtos como sal e açúcar exigiam a poeira da estrada.

Todos trabalhavam demais. As mulheres socavam o arroz no pilão, a fim de retirar a casca. Até mesmo o trigo era difícil. Quando tínhamos, do lado de fora da casa, elas preparavam o pão ou a famosa broa de fubá ao forno.

O café era plantado, colhido, secado e torrado sob um sol e um calor insuportáveis. Depois de todas essas etapas, era moído e coado para gerar uma simples xícara. Sem o desejo de incitar diferenças entre a evolução e as gerações, apenas registro que as mulheres daquele tempo faziam tudo isso e ainda cuidavam dos filhos, do marido e da casa.

O direito a um pedacinho de chão exigia lavrar a terra, trabalhar, economizar e juntar todo o dinheirinho suado da família. Meu pai ficava revoltado ao constatar pessoas que tomavam ou tentavam tomar propriedades daqueles que as conquistaram com o suor do rosto e o calejar das mãos. Sentia-se incomodado ao ver protestos de quem queria "ganhar" aquilo que outra pessoa, em tempos mais remotos, tinha dado a própria vida, trabalhando duro para conseguir.

— Isso não é justo. Tudo que tenho consegui com muito trabalho e suor. Agora as pessoas pensam que o governo é obrigado a dar tudo, sem o menor esforço, e, ainda pior, querem tomar terras daqueles que trabalharam.

Assim eu o surpreendia, muitas vezes, "pensando alto", quando se deparava com a notícia de uma fazenda invadida por movimentos inescrupulosos.

Administrador nato, era senhor de uma liderança intrínseca. Bastava um breve olhar para que soubesse exatamente onde e como tinha que mexer para ordenar ações e tornar a fazenda produtiva.

Essas vivências que tive ao lado de meu pai permitiram uma visão maior da vida e do trabalho, como se tivesse me presenteado com um binóculo empreendedor que carrego até hoje na bolsa.

O que vi, aprendi e recomendo para a vida

O melhor curso de liderança que fiz, portanto, não foi em *Harvard*, e nem aprendi o que há de melhor com especialistas de terno cortado sob medida.

Foi ao lado de um líder bronco, com pouco estudo, mas inteligente na capacidade de liderar, brilhante para identificar e resolver problemas, incomparável para diagnosticar e curar terras infrutíferas e especialista em transformar pessoas preguiçosas em máquinas produtivas, que aprendi as maiores lições de liderança.

Ele media as terras que trabalhou para cobrar o serviço por braça[1]. Usava correntes flexíveis que seguiam o contorno do terreno com seus aclives, declives e curvas. Ninguém o enganava. Mesmo os engenheiros, que tinham maquinário de medição, não encontravam diferença significativa em comparação com o seu método mais primitivo.

Depois de décadas à frente de uma empresa cujo perfil é o pioneirismo, percebo que a indústria, o comércio e as empresas em geral são como essas fazendas que o meu pai administrou. Sem uma ordem, sem um plano de ação, todos batem cabeça, as pessoas não chegam a lugar algum e nada se frutifica.

Américo era o nome de meu pai. Ele costumava levar mantimentos no carro de bois para os trabalhadores da fazenda. Como a viagem era cansativa, poucas vezes me convidava a fazer-lhe companhia, e, nas raras ocasiões em que o convite acontecia, eu quase não conseguia dormir na noite que antecedia a viagem de tanta euforia.

Oba, amanhã vou andar no carro de bois com o meu pai! – pensava.

A viagem previa acordar antes que o galo cantasse. Por volta de 4h, estávamos carregando o carro de boi e

---

1 Braça – medida de punho a punho ou da mão aberta para outra, levando-se em conta um homem de braços horizontalmente abertos.

eu não me importava. O que valia mesmo era a alegria de ver o senhor Américo atrelar o par de bois enormes e chifrudos ao carro, chamando-os pelo nome, com o comando de voz e o chacoalhar do guizo que tinha nas mãos.

— Vai, Tesouro. Vem, Fazendão!

E os bois vinham, obedientes, cumprir a jornada. O carro de boi é muito lento e essa viagem podia durar quase o dia todo. No meio do caminho, eu saltava do carro, corria atrás de borboletas, pulava nos riachos, ficava um tempão observando a beleza dos filhotes nos ninhos dos pássaros, e, em seguida, corria de volta ao carro de boi.

A viagem poderia até ser cansativa para alguns, porém uma criança de seis anos verdadeiramente sabe transformar desconforto em festa e aproveitar ao máximo cada instante. Nunca mais voltei àquela região de Santo Antônio do Viradouro, mas lembro de que o acesso era dado, sem alternativa, por meio do carro de boi ou do cavalo. E devo admitir que não seria necessário voltar ao lugar. Está tudo vivo na memória, cada detalhe, do tom verde musgo da vegetação ao cheiro da terra, da infância que em breve precisaria se despedir e abrir passagem a um pequeno homem.

Afinal, vivia no campo, como filho mais velho de um empreiteiro que não tinha pouso certo. Não tardaria para que a vida, de maneira imprevisível, exigisse de mim, como primogênito, o inicial exercício da liderança, e, diferentemente daquela outra praticada dentro das empresas, neste caso seria uma liderança de pessoas e de ações, em busca de alimento e de sobrevivência. Mas isso é algo a ser dividido adiante. Agora demonstrei algumas qualidades do homem que me ensinou a liderança na prática, devo apresentar a mulher que me apresentou a liderança educacional.

O que vi, aprendi e recomendo para a vida

Ainda voltarei ao meu pai, senhor Américo, para partilhar um pouco mais de suas lições, erros e acertos, a somar, que não caberiam em um capítulo.

Como disse no início, o pão que a infância amassou, um homem formou. Convido você a embarcar na obra e conhecer ainda melhor o que encarei antes de prosperar como homem de negócios, pois esse é o objetivo de compartilhar a experiência: onde eu sofri, você pode resolver sem dor.

Capítulo 2

Os anjos da educação inspiram e formam líderes diferenciados

Capítulo 2

Formar grandes líderes inclui, ainda no período da infância, exemplos diversificados de influência positiva que abrem horizontes educacionais para nos tornarmos pessoas melhores.

Na escola, um professor nosso fazia uso de severos métodos corretivos com os alunos que aprontavam na aula, como ajoelhar sobre o milho ou submeter-se à palmatória. Sua fama de crueldade foi espalhada com facilidade. Por conta dele, no primeiro dia de aula, fiquei com tanto medo que entrei chorando na classe. Foi então que uma professora muito amável me observou e perguntou o motivo do choro. Eu revelei o medo do professor e as palavras dela ecoam em minha vida até hoje.

— Ele só faz isso com os garotos mais briguentos. Com você isso não vai acontecer, pois eu não permitiria, já que você é um garoto muito bonzinho.

O que vi, aprendi e recomendo para a vida

Fiquei encantado por ela. Dedicava-me ao máximo nas aulas. Não me lembro do nome de nenhum outro professor, mas o dela jamais esqueci e ainda associei o nome dela ao ritmo da música que tocava na fanfarra da escola: Ineida Pereira Dantas.

O professor daqueles tempos era mais bem remunerado, mais respeitado e merecidamente reconhecido. Era comum criar laços de amizade com os mestres. Como a dona Ineida morava no caminho da escola, sempre que possível, passava na casa dela para tomar chá ou café da manhã.

No parquinho, próximo de casa, havia um jogo de coelhinhos. Assim, consistia em optar por um número, e, se o coelhinho entrasse na toca escolhida, a pessoa ganharia um brinde. E lá fui eu comprar esse bilhete com a esperança de ganhar dois presentes, um para Abadia Cândido Marciano, minha mãe, e outro para a professora Ineida.

Com o número em mãos, me concentrei e ficava mentalizando o coelho ao acessar a toca do número que escolhi. E não é que o coelhinho entrou? O primeiro presente estava resolvido e garantido. Faltava o outro. Comprei mais um bilhete, direcionei mentalização e foco no coelho (àquela época, eu nem sabia o que significava mentalizar e focar, mas os instintos sempre funcionaram bem). Depois de várias voltas, o coelhinho entrou de novo na toca do número que escolhi. Fiquei feliz da vida por ganhar os presentes e honrar as duas mulheres com quem tanto me importava.

Fiquei por um tempo nessa escola, até que o meu pai precisou se mudar de novo e comecei a me atrasar nos estudos. Eu me sentia embaraçado e não conseguia passar de ano. Com as mudanças constantes, não parava em escolas por mais de três meses. Quando voltava, sem matéria para acompanhar, ser aprovado era muito difícil.

Apesar de não ter ainda a classificação hoje conhecida como *bullying*, toda vez que mudava de escola, por ser o novato, apanhava dos outros garotos que vinham arrumar confusão em grupo, sem contar as brincadeiras que consistiam em empurra daqui, empurra de lá, até que a pessoa caísse, o que gerava gargalhada geral. Certa vez, apanhei de uma turminha. Ao chegar até minha casa, machucado e de olho roxo, a orientação do meu pai foi clara.

— A partir de hoje, não é para arrumar confusão, mas não deixe de se defender quando necessário. Se você apanhar de alguém, quando chegar até em casa, vai apanhar de novo!

O tempo foi passando e comecei a ficar complexado, com a autoestima comprometida. Além do rótulo de "repetente", era o grandalhão, perto dos outros meninos do ensino primário.

E por falar em apanhar, sinto que devo partilhar um clássico episódio da infância que clarifica o estilo rígido de meu pai. Desde já, posso garantir que esses episódios, até o fim da obra, se conectarão para formar pilares de uma boa liderança, seja pelo valoroso exemplo prático ou pela perspectiva que a vida tenha desenhado.

Meu pai fez as escolhas dele, sempre calcadas por uma educação muito austera. Embora muitos possam questionar se ele foi ou não feliz no estilo educacional, cabe refletir que eram tempos muito remotos. Na década de 50, a educação em geral era menos voltada para o afeto e mais direcionada aos safanões e corretivos.

Cabe também evidenciar que os filhos, tanto eu como os irmãos, deram orgulho ao senhor Américo. Segundo as palavras dele antes de falecer: "A vida foi dura, mas valeu a pena, formei filhos honrados e trabalhadores que sempre respeitaram a mim e a família".

O que vi, aprendi e recomendo para a vida

Tem muito líder dengoso no mercado, que não pode ouvir uma crítica construtiva, que nem mesmo cogita a possibilidade de estar errado em algo e que por isso não se dispõe ao enfrentamento para resolver de vez os problemas do cotidiano.

Esta foi uma marcante lição de liderança que meu pai legou, por meio da dor, em minha infância: gente dengosa demais não tem futuro.

Um dos amigos me presenteou com um canário da terra, manso e dócil. Vivia praticamente solto e eu passava boa parte do tempo brincando com a ave. Todos estranhavam a proximidade. Convenhamos que um cachorro ou um gato que fica no colo a pedir carinho é comum, mas um canário é raríssimo.

Alguns meses depois dessa inusitada amizade entre um garoto e um canário, eu estaria prestes a vivenciar a lição de combate ao dengo. Assim, meu vizinho tinha um gato, e, como o canário era mansinho, não foi nada difícil para o felino tirar a vida de meu amigo.

Fiz uma birra tremenda, me jogava ao chão, chorava copiosamente e gritava que queria o canarinho de volta. Meu pai chegou, perguntou para a minha mãe o motivo da choradeira e ela explicou. Suas palavras foram simples.

— Vou até o pasto soltar o cavalo e já volto. Se eu chegar e ele ainda estiver assim, ao chão, chorando, vai levar uma surra!

Minha mãe conhecia bastante o senhor Américo para saber que não era só uma ameaça. Ela fez de tudo para me tirar do chão e não conseguiu. Permaneci ali, chorando e gritando.

Ele voltou. Em suas mãos, um rolo de corda dobrada com mais ou menos quatro quilos. Os golpes nas costas pegavam da cabeça ao calcanhar, e onde a pesada corda batia, levantava um vergão. Apanhei até que a minha mãe não suportou mais, entrou na frente e me tirou de lá.

A surra deixou vários calombos nas costas, que foram lavados com a famosa salmoura em água morna. Até hoje os detalhes daquele dia estão vivos na memória. E minha mãe não deixaria o protagonista do drama, o gato do vizinho, sair impune. O bichano simplesmente desapareceu e é claro que as suspeitas recaíram sobre nós. Somente décadas depois, eu soube o que acontecera. Enquanto a minha mãe preparava o almoço no fogão de lenha, me lembrei da história e puxei conversa.

— Mãe, a senhora lembra daquele gato que matou o meu canário?

— É claro que sim, Orlando.

— E por acaso a senhora teve alguma coisa a ver com o sumiço dele?

Ela deu um sorriso arteiro, antes de responder.

— Eu não tive coragem de matar, mas juntei uns trocados que tinha, coloquei o gato numa caixa e ofereci esse dinheiro ao motorista do caminhão de leite, com instruções de que levasse o bicho até a cidade e desse para alguém cuidar.

— E será que ele fez isso mesmo ou só terá abandonado o gato por aí?

— Aí é que vem a parte mais curiosa. Ele recusou o dinheiro e pediu para ficar com o animal, pois a gata de sua neta tinha morrido. Senti pena do vizinho, que perdeu o gato, mas não responderia por mim se visse o bichano por aí de novo.

Os anos foram passando e o meu pai nunca amoleceu. Mesmo depois de velho, morando comigo, ainda era turrão. Do seu jeito, nesse dia ele me ensinou que dengo e birra não trazem de volta o que ou quem já partiu. Talvez nem mesmo o senhor Américo soubesse, mas ali, na ponta da corda pesada, ele estava formando e blindando o líder de amanhã. E me mostraria ainda outras faces da liderança que preveem sermos prestativos, comunicativos e solícitos. Ao longo do livro, dividirei essas lições. O seu jeito de educar era severo, porém a sua filosofia profissional era justa:

Se eu sei fazer ou melhorar alguma coisa, sempre me disponho a ajudar no que posso, em vez de criticar os responsáveis.

Era um homem bruto. Por outro lado, líder nato. Bastaria que as empresas brasileiras adotassem, dentre os líderes, a filosofia do senhor Américo para que os lucros, o clima organizacional e a prosperidade tomassem conta do negócio.

Ainda criança, com o dorso calejado e o aprendizado de que dengo não traz resultados positivos, outra característica alicerçaria toda a minha trajetória profissional: a fé.

Assisti ao filme "Vida, paixão e morte de Jesus Cristo". Chorei o dia inteiro, sobretudo me perguntando por que tinham feito tudo aquilo com Jesus. A partir daquele momento, a fé tomaria conta de minha existência, não uma fé fanática, mas a sensação de que somos parte de algo muito maior.

Até hoje, toda vez que tenho um problema de grande magnitude a resolver, olho para cima e peço que ele me ilumine, de forma que possa tomar a melhor decisão, a ver, para mim e para todos os envolvidos. E sempre deu certo. Hoje, líder formado e com a carreira consagrada, entendo que sem fé e sem esperança nada anda.

A fé não tem fronteiras e não precisa estar amparada nesta ou naquela religião, mas deve ser parte da essência. O líder precisa acreditar, profundamente, que tudo vai dar certo, antes mesmo de traçar ações, estratégias e planos de ação. Sem fé, tudo que sobra para a liderança é ciência e técnica, que não bastam quando o assunto é evolução da equipe e da empresa.

Capítulo 3

Honestidade é obrigação. Desonestidade requer enfrentamento

Capítulo 3

No caso de meu pai, que recebeu educação austera e empregou o mesmo modelo com os filhos, é compreensível. Estamos falando de um passado com pouca informação.

Depois da internet e de tanta informação educacional gratuita, criança que faz birra no shopping, por exemplo, não precisa apanhar, até porque isso nem funciona mais. Ainda que apanhe, talvez repita a denguice.

Se o meu neto faz isso, adoto uma estratégia mais eficiente; escondo-me. Ao perceber que sua plateia de birra preferida não está olhando, e, diferentemente disso, um bocado de adultos estranhos o encaram, ele desiste da choradeira e passa a investigar onde eu estaria.

Alguns segundos depois, vou em direção a ele, de costas, para que ele venha atrás de mim, e não o contrário. E pronto, tudo resolvido sem traumas. A própria criança entende que não faz sentido se jogar ao chão num inexplicável e desnecessário pranto.

— Levante-se do chão, pare de chorar e o papai te compra um sorvete!

De outra forma, algo que não pode acontecer é esse formato de negociação, que se repete com frequência e só faz formar um vício de comportamento na criança, que passa a fazer birra para tudo e para todos.

Dei início ao capítulo mencionando o comportamento das crianças porque entendo que faz todo o sentido sobrevoar a infância do passado para entender aquilo que o presente e o futuro reservam aos líderes e executivos das novas gerações.

No interior de São Paulo daquela época, meados de 60, com paisagens que deixariam até mesmo os europeus de queixo caído, a vida de criança expunha oportunidades maravilhosas. Em vez dos salgadinhos que as crianças do século XXI adoram, o tempo todo comíamos marmelo, gabiroba e mamões, tomatinhos silvestres ou mangas, isto é, o que encontrávamos no caminho dos cafezais. Essa última, no fim de safra, reservava frutos maravilhosos e arriscados por sua posição, quase sempre no topo, vários metros acima do chão.

Um dia, nos últimos galhos de uma centenária mangueira, vi o meu objeto de desejo, a manga coração de boi, rara nos dias de hoje. Avaliei que estava madura "no ponto". Pela altura que estava posicionada, se eu sacudisse os galhos para pegá-la no chão, perderia a fruta. Precisava ser apanhada com as mãos. E lá fui eu, hábil como um gato, mas desastrado como qualquer moleque.

Bastou um passo com mais pressão para que o galho cedesse. Em suma, despenquei, e, por sorte, fui batendo nos galhos e nas folhas, que amorteceram a queda.

Cheguei à minha casa todo ralado e fui submetido a outra sessão de salmoura, o bom, doloroso e velho remédio do campo.

Generosa, Da. Abadia escondeu o evento de meu pai e conseguiu, por isso, evitar outra surra. Por outro lado, me fez prometer "a aposentadoria da escalada em árvores". Consciente e justa, sabia que umas cintadas sobre aqueles arranhões complicariam ainda mais a minha situação.

Ela conhecia bem o meu pai e o seu estilo de educar. O senhor Américo não precisava ordenar. Bastava um olhar, um pigarrear – que chamamos, no interior, de "limpar o peito" – e sabíamos o que fazer ou não fazer para escapar da coça.

Dentre os tombos e a peraltice, quando eu tinha treze anos, meu pai assumiu uma fazenda na Serra do Japi. Em vez de contratar um cozinheiro, ele mesmo cozinhava. E aos poucos, me ensinou o ofício. Passei a ser o responsável pela gororoba que todos nós comíamos. A base era composta por alimento de fácil conservação e preparo, como carne seca, manjuba seca etc. Colhíamos mandiocas e batatas, fazíamos um caldo para ajudar o alimento seco a descer, e, no mais, caçávamos tatus ou teiús.

Aos sábados, depois de deixar preparada a refeição daqueles que estavam trabalhando, eu vencia, na caminhada, a distância de aproximadamente quinze quilômetros de chão batido, só para visitar a minha mãe. Foi num desses sábados que passei pelo bairro Jundiaiense, conhecido como Santa Clara, em homenagem à Igreja de Santa Clara, patrimônio religioso da Serra do Japi.

Naquele bairro cercado por muito verde, contemplei casas e terrenos grandiosos. É difícil dizer se o que tornava o lugar mais encantador eram as nascentes de água cristalina, a paz que reinava no alto das montanhas, a variedade de canto dos pássaros, a brisa insistente, ora serena para abrandar o calor, ora fustigante para anunciar a mudança de estação; ou o entardecer, com o céu desenhado em vários tons. Avaliando um ou todos esses elementos juntos, tinha a impressão de que ali era um pequeno paraíso. E ainda me recordo, com clareza, do que pensei.

Um dia, gostaria muito de ter uma propriedade por aqui...

Foi aos treze anos que sonhei com a desafiante possibilidade.

Deixe o sonho acontecer na hora certa. Que não seja tarde demais e se realize quando você ainda puder desfrutar. Que não seja, porém, muito precoce, pois assim existirá a certeza de não ter atropelado alguém, enquanto lutava para alcançá-lo.

Preocupa-me constatar líderes, executivos e gestores que, por pressão da sociedade, sentem-se cobrados a formar um patrimônio com rapidez, como se a posição à frente de um negócio gerasse essa obrigatoriedade.

A busca por "conseguir logo" um lugar ao sol pode despertar o desejo pelo ilícito, pelo enriquecimento rápido e isso explica por que incontáveis políticos entraram para a vida pública com boas intenções e se envolveram em práticas que os fizessem ricos.

Na iniciativa privada, também conheci pessoas que me questionaram nesse caminho e sinto que devo repartir uma lição que aprendi por meio de três experiências.

1. A vida executiva e seus desdobramentos;
2. As lições de meu pai, enquanto liderava centenas de pessoas;
3. As lições de minha mãe, mestra em diferenciar certo e errado, justo e injusto.

Os questionadores traziam uma pergunta quase idêntica e uma dessas conversas permanece viva em minha mente, dada a profundidade. O interlocutor me fez a clássica pergunta.

— Orlando, você preside uma grande empresa. Por que ainda não ficou rico?

Minha resposta o deixou, pelo que pude perceber, intrigado.

— Sou executivo na empresa, com salário justo e de acordo com a função.

A réplica de meu interlocutor estava pronta.

— Ah, mas no Brasil sempre se dá um jeito, um arranjo aqui, ali. É normal.

Peço licença ao leitor mais sensível, e com a certeza de que poderá compreender, vou reproduzir a exata resposta que dei.

— O cacete que isso é normal! O que você sugere pode estar dissimulado num jogo de palavras, mas é roubo. Não foi a formação que tive e jamais faria isso.

A conversa foi encerrada aí. Acabaram-se os argumentos. E uma pergunta elementar deve ser respondida por cada ser humano.

Temos presenciado pessoas poderosas sentenciadas à prisão. Quanto essas pessoas estariam dispostas a pagar para ver o sol mais uma vez, para ter o direito a algo tão simples e prazeroso como um almoço em família, num domingo ensolarado?

O dinheiro ilícito é danoso para quem aceita receber, contagioso para quem soube que a pessoa recebeu, transmissivo para outras pessoas que aceitariam dar para receber outro ilícito em troca, e, por fim, péssimo para inspirar, por exemplo, o filho adolescente do executivo que vê o pai encostar na garagem um carro que o seu salário não comporta.

Você que deseja formar uma carreira de credibilidade, que pretende ver o seu nome citado como sinônimo de lisura corporativa, precisa pensar nisso.

No parágrafo anterior, consta a lição de ética e de cidadania que todos os líderes deveriam ter em sua cartilha, e, se você praticar, o propósito maior da obra será atingido.

A liberdade e a dignidade da família deveriam ser inegociáveis.

— Você é filho daquele vagabundo que tomou empréstimo do BNDES e deu golpe em meio mundo?

Nenhum ser humano gostaria de estar na pele do filho de alguém que escuta esse tipo de pergunta. E aí está a face danosa do dinheiro sujo que vai bater, cedo ou tarde, na porta de qualquer executivo, com ofertas tentadoras, e, em tese, irresistíveis.

Aconteceu comigo, acontecerá com você: enfrentei e bati a porta na cara daqueles que tentaram me oferecer algo que ferisse os valores aprendidos debaixo do sol, na roça.

Minha sugestão é que faça o mesmo, ainda que os seus valores tenham sido aprendidos no interior das salas de renomadas universidades brasileiras ou estrangeiras.

No início da carreira executiva, a universidade que você frequentou faz a diferença para obter determinada vaga. Ao término, o futuro julgará o seu nome pelo o que você fez, independentemente da origem de seu diploma.

Ao aposentar-se, como estou a poucos passos de fazer, talvez não deixe o mundo dos negócios com os carros que gostaria de ter na garagem, mas se foi justo e reto, como sempre procurei fazer, vai deixar filhos e netos com o desejo de fazerem o mesmo, numa sucessão valorosa que pode e deve ser praticada em favor de um Brasil que precisa de uma nova geração honesta, capaz de ignorar e enfrentar o assédio da corrupção.

Sabe aquele sonho de obter uma propriedade em tão bela região? Demorei 42 anos para realizá-lo. Aos 55, adquiri a casa dos sonhos de adolescência. Cada metro quadrado da extensa propriedade é fruto de uma vida executiva honesta. Às vésperas de me distanciar da carreira para viver outros sonhos, qualquer familiar dirá que aquele pedaço de chão foi objeto de muita dedicação, honestidade e amor à liderança. No fim, é o que garante colocar a cabeça sobre o travesseiro com a convicção de que se fez a diferença nesta vida.

Ser honesto no Brasil é possível, desde que não se tenha pressa para avolumar patrimônio. Ao assumir uma carreira como líder e executivo, batalhe pelos sonhos, ensurdeça diante das vozes de péssima intenção, feche a porta para o ilícito e fique posicionado em enfrentamento, até conseguir que todos na empresa façam o mesmo.

O papel de quem lidera não pode ser restrito a manter a honestidade. Isso é obrigação explícita. Existe, de outra forma, a silenciosa e implícita obrigação da liderança no sentido de enfrentar o que é errado com todas as forças.

Uma pessoa íntegra que é cega em relação aos desonestos ao redor é como o motorista que vê alguém atropelado precisando de socorro e se omite, já que não foi ela quem atropelou. O mesmo ocorre com as empresas, que são atropeladas pelos desonestos e precisam contar com os honestos dispostos ao enfrentamento e ao socorro, até que tudo flua como deve.

Comecei o capítulo sugerindo como podemos agir com o neto que faz birra. Lembre-se de algo muito importante: quem oferece um sorvete à criança para que se comporte, abre um portal para que ela aceite, no futuro, o sorvete da propina que circula na coisa pública e no ambiente privado. E responda:

Acostumado desde cedo a receber o sorvetinho do bom comportamento, será que o neto, depois de adulto, como líder e executivo, vai recusar o sorvetinho do bom carro, da conta corrente recheada, em troca de favores ilícitos?

Capítulo 4

A liderança que só a sensibilidade materna sabe ensinar

Capítulo 4

No ano de 1959, quem tinha geladeira e vitrola era considerado rico. E aquele foi um período de prosperidade. Como fruto de tantas empreitadas, meu pai comprara um pequeno hotel, era dono de um caminhãozinho e tinha um *Ford Belair*. Convivíamos com a alta sociedade, até que a confiança no semelhante comprometeu os negócios de meu pai. Ciente de que o senhor Américo conhecia a lida com o campo, o proprietário de uma fazenda com cinquenta alqueires acabou com o patrimônio dele. Sua proposta foi a seguinte:

— Américo, você fique lá por cinco anos, transforme a área em pasto.

A área era produtiva e contava com árvores imensas. Sem maquinário, tudo era cortado à mão. Os operários faziam um buraco ao redor da árvore, que precisava ser derrubada, e entravam nesse buraco para cortar a raiz, três ou quatro metros abaixo da superfície. O labor bruto exigia frequente contratação, às dezenas, do perfil de trabalhador disposto a descer o braço e empenhar a força máxima. Na estação da Luz, em São Paulo, o senhor Américo fazia pessoalmente a seleção e o recrutamento dessa turma.

Os operários ficavam amigos. Nas horas de folga, eu ganhava bombom, doce e presentes variados para cantar as modas de viola e alegrar um pouco a vida dura que levavam. De tanto esforço empenhado, o corpo dos operários poderia ser confundido com o de um fisiculturista.

Alguns recebiam o pagamento, caíam na gandaia, gastavam uma parte em cachaça e a outra em prostíbulos. Voltavam quando o dinheiro acabava, trabalhavam até o próximo pagamento e repetiam tudo. Aos 50 anos, em média, o corpo antes forte, castigado pela lida e pelo sol, começava a vergar e sucumbia a qualquer doença que surgisse. Eu olhava para aquela vida e pensava:

Preciso dar um jeito de estudar e buscar trabalho longe daqui. Esse não é o futuro que eu quero!

Eu perdera uma avó com 33 anos, um avô com 41 e se tivesse continuado naquela vida, teria semelhante destino e não estaria vivo para contar o que enfrentei. Eram tempos em que não existia medicina preventiva. Se alguém enfartava, o diagnóstico estava na boca do povo:

— Morreu de repente!

Ou seja, sequer sabíamos o que era enfartar.

Seguindo o acordo de entregar a fazenda cinco anos depois, transformada em pasto, e depois de arrancar árvores e tocos no primeiro ano, Sr. Américo e sua equipe prepararam a terra, plantaram a primeira safra de arroz, e, quando estavam no tempo de colher uma fortuna em arroz, o dono foi até a fazenda e disse:

— Mudei de ideia. Quero a fazenda de volta.

— Como assim? Preciso colher o arroz, contratei centenas de peões. Estou no prejuízo. O nosso acordo é de cinco anos. – reclamou o meu pai.

— Não quero saber. Mudei de ideia, já vendi a propriedade e ponto final!

Foi necessário contratar homens armados para ter, no mínimo, o direito de colher a primeira semeadura e ao menos amenizar uma fração do prejuízo. A colheita foi realizada, mas insuficiente para cobrir o investimento de um ano inteiro de trabalho duro. Como resultado, meu pai quebrou e o seu contratante desapareceu no mundo.

O jeito foi colocar os itens à venda na porta do hotel, e, um a um, o senhor Américo foi se desfazendo do que tinha para cobrir os prejuízos e pagar os credores. Ora, estamos falando de uma época na qual a palavra valia mais do que um contrato, e, indignado, meu pai pensou em matar o tratante.

Dado o exposto, chegou a comprar um revólver *Smith & Wesson* com cabo de madrepérola e só andava armado. Na guaiaca[2], moedas, projéteis, a bela peixeira, a arma reluzente e a determinação para seguir os rastros de seu oponente até a Bolívia, lugar onde se dizia estar escondido o golpista. Antes de partir, meu pai reuniu o que sobrou e nos alojou numa pequena chácara, bem mais humilde, em Votuporanga, sem fogão a gás, geladeira ou vitrola. Deixou atrás de si um mês de aluguel pago, uma esposa às lágrimas, os filhos, todos pequenos, e a promessa de que voltaria no mês seguinte. Dentre as cinco crianças, Osmar ainda era bebê.

Ele retornou seis meses depois.

Sendo o mais velho do lar, com onze anos, me coube a responsabilidade de gerar renda e a pergunta sem resposta surgiu sem demora:

---

2 Guaiaca – cinto largo comum entre homens do campo, com bolsos que acomodam pequenos objetos, também usado para o porte de armas.

O que vi, aprendi e recomendo para a vida

Como vou fazer para cuidar dos irmãos e da mãe?

Como um relógio suíço, no dia exato, o senhorio bateu à nossa porta para receber o aluguel. Sem escolha, foi aí que teve início a minha curta carreira como boia-fria[3], especificamente na colheita de algodão. O saco do produto era mais pesado do que eu. Depois de uma semana, um pensamento libertador seria o diferencial de uma vida inteira.

Preciso pensar como o meu pai pensaria. Nasci para liderar, e não para carregar peso.

Deixei o caminhão de boia-fria. Quase todo mundo tinha fogão de lenha. Comecei a bater palma na casa das pessoas, com duas perguntas básicas:

— Quer que eu empilhe a lenha?

— Gostaria de que eu limpasse o seu quintal?

A pequena chácara alugada ficava aos fundos da residência do chefe da estação de trem, considerado uma espécie de prefeito do vilarejo, com seu belo uniforme engomado e impecável. Sua esposa me ofereceu um "emprego".

— Eu gosto de tomar uma pinguinha e meu marido não aprova. Você passe por aqui de vez em quando e olhe embaixo da janela. Se eu deixar uma garrafinha vazia junto com o dinheiro e alguns tocos de madeira, significa que a pinga acabou. Então, leve os tocos para a sua família usar no fogão de lenha, vá até a venda e traga outra garrafinha. O troco será sempre seu.

Embora não representasse uma cifra exorbitante, era alguma coisa. Vez ou outra, escutava o vizinho e chefe da estação brigar com a esposa e acusá-la de ter bebido, mas ficava quietinho e guardava o segredo dela.

Com esses trocos, comecei a comprar arroz quebrado[4] em pequenos sacos de um quilo, diretamente do pessoal que operava a máquina de beneficiar arroz. Além disso, atravessava a cidade inteira para comprar óleo

---

3 Boia-fria – trabalhador rural que atua, quase sempre, sob precárias condições.

mais barato e assim por diante. O parco dinheiro que conseguia com os biscates precisava ser multiplicado para resultar em itens de sobrevivência.

Nessas andanças, com frequência encontrava um fazendeiro que passava com sua caminhonete reluzente, de um azul metálico, pela estrada de terra. Eu sabia quem era, mas não tinha amizade.

Um dia, voltava para casa com um litro de óleo nas mãos. A caminhada era longa e como já tinha passado o horário do almoço, lembro-me de que estava com fome e com sede. Ainda restavam uns quatro quilômetros até chegar à minha casa. Para a minha surpresa, o fazendeiro da caminhonete reluzente parou. O motorista abaixou o vidro do passageiro e me disse, com um sorriso no rosto que nunca mais esqueci:

— Ô garoto, eu já te vi por aí. Você mora lá para os lados da estação, certo?

Eu disse que sim e fui caminhando em direção à porta do carro, feliz e grato pela repentina carona. O que escutei nesse momento faria eco em minha vida por muitos anos.

— Está longe para ir a pé e vai demorar até chegar, hein?

E com uma sonora gargalhada, fechou o vidro, arrancou com o veículo, cantando pneu, levantando uma nuvem de poeira tão densa que, por um instante, toda a paisagem desapareceu. Quando parei de tossir, entre as lágrimas que jorravam alheias ao meu controle, senti uma mistura de impotência, frustração, raiva e decepção.

Cheguei até em casa com os olhos avermelhados pela poeira, ou, quem sabe, pelo efeito da humilhação e das lágrimas. O meu estado emocional não passou despercebido por dona Abadia, minha sábia mãe.

— O que você tem, Orlando?

4Arroz quebrado – tipo de arroz cujo grão, quebrado, é mais barato.

Entreguei-lhe o óleo e contei em detalhes o que o fazendeiro fizera comigo. Percebi que ela se segurou para conter as lágrimas e me disse algo também inesquecível.

— Um dia, você vai ter uma caminhonete mais bonita do que a dessa pessoa maldosa. Diferentemente do que ele fez, você vai dar carona para qualquer pessoa que precise.

Ela estava certa. Ao longo de minha vida, tive caminhonete de várias cores e marcas e isso é o que menos importa. O que de fato considero relevante foi a lição de liderança que minha mãe ofereceu naquele dia. Eu sinto prazer em ajudar as pessoas, dar carona, viajar acompanhado e conversar.

Como educadora, poderia ter me orientado a desacreditar nas pessoas e conseguiria também me convencer de que o mundo estava repleto de gente como aquele fazendeiro. Mas ela optou por formar uma pessoa digna, um filho que pudesse olhar para o próximo da mesma maneira que a própria dona Abadia sempre enxergou: como semelhante.

Ela teve os motivos e a chance de formar um revoltado, e preferiu formar um generoso. Lição de liderança comportamental maior do que essa eu ainda não tive a oportunidade de conhecer e jamais vou esquecer...

Capítulo 5

Aos onze anos, a vida disse: vire-se, lidere e alimente sua família

Capítulo 5

O bem sempre vence. Felizmente, a vida e o mundo não contam apenas com fazendeiros que fazem uma criança comer poeira. Os seis meses em que meu pai esteve fora pareceram seis anos.

Nessas idas e vindas, a vida trouxe uma figura cuja generosidade me favoreceu desenvolver a competência que todo líder deve dominar: vendas.

Um velho conhecido da família, dono de uma fazenda entre Valentim Gentil e Votuporanga, passou pela cidade, vendendo mantimentos em seu carroção tracionado por quatro burros. Ocorre que certa vez, de passagem pela cidade, o pai desse comerciante, senhor Sinfrônio, ficou doente e meu pai o recebeu no hotel. Ele não foi tratado como hóspede, mas como membro de nossa família. Tempos depois, regressou, fez a cirurgia que precisava e ficou curado. O nome diferente ficou gravado em minha memória e essa gentileza de minha família não seria esquecida pelo filho.

Lindolfo era o nome desse comerciante. Cruzei com ele em uma dessas viagens para comprar óleo. Ao me ver com a embalagem sob os braços, quis logo saber.

— Orlando, tudo bem com vocês? Aonde vai com esse óleo?

Lindolfo, meu pai foi traído por um contratante, faliu, colocou um revólver na guaiaca e disse que iria até a Bolívia buscar o traidor. Desde então, não tivemos notícia dele. Como o dinheiro acabou, tenho me virado com pequenos serviços. Tentei ser boia-fria, mas não aguentei e esse óleo fui buscar longe porque é bem mais barato.

— Mas por que vocês não me procuraram? Vamos até a sua casa falar com a dona Abadia.

Ele interrompeu suas vendas para nos atender. Montei em seu carroção e seguimos até a nossa casa. Chegando lá, gentil e solícito, abordou minha mãe.

— Dona Abadia, a sua família precisando de ajuda e não me falam nada? Bastava ter me chamado, a minha família adora vocês. A senhora me desculpe, mas vou olhar a sua despensa.

Antes que minha mãe pudesse responder qualquer coisa, ele foi logo abrindo a porta onde guardávamos mantimentos. Não havia quase nada ali.

— Dona Abadia do céu, como pode isso? Amanhã eu volto aqui e vocês não passarão necessidade!

Olhei para a minha mãe e constatei uma furtiva lágrima a escorrer contra sua vontade.

No dia seguinte, Lindolfo voltou com sacos de arroz beneficiado, feijão, café, banha e carne de porco: tudo o que precisávamos. Quando vi uma brecha, chamei Lindolfo de canto para uma conversa.

— Lindolfo, eu agradeço muito o que fez por nós. Eu sou o mais velho da casa e quero trabalhar. Estou tentando ganhar dinheiro aqui, mas é pouco.

— E o que você quer fazer, Orlando? – quis saber o nosso benfeitor.

Eu tinha pensado em tudo e se meu plano desse certo, não passaríamos mais necessidade.

— Quero vender frangos!

Lindolfo me olhou com atenção por alguns segundos, como se estivesse tentando ler algo nos meus olhos, e sentenciou.

— Ok, faça o cercado e construa o viveiro. Vou trazer frangos e você vai revender.

Toda vez que Lindolfo trazia o carroção para abastecer os mantimentos de seus clientes, carregava também os frangos e o milho para alimentá-los. Na primeira vez, trouxe dez frangos. Éramos homens de negócios. Ou melhor, homem e garoto de negócios. Ele comprava o frango, cedia o milho, colocava sua margem, e, depois de vendê-los, eu reservava a parte que deveria ser paga ao fornecedor, no caso, Lindolfo.

A venda de dois frangos me remunerava o mesmo valor que teria por uma semana inteira de trabalho como boia-fria, na insalubre colheita do algodão, de sol a sol. Então, me lembrei de que a região era repleta de prostíbulos e pensei:

São muitos bons veículos estacionados e ali corre dinheiro. Quem trabalha e quem frequenta o lugar, em algum momento, precisa comer. Talvez eu consiga vender uns frangos para eles.

Foi aí que aprendi duas valiosas lições que são úteis para qualquer segmento.

1. Vender sem planejamento é como ter um dos pulmões comprometidos: pode até dar certo, mas a chance de morrer, na vida e nas vendas, também existe;
2. É imprescindível conhecer a rotina e o *modus operandi* do concorrente.

Manhã de sábado. Pés cascudos e descalços, lá fui eu com os frangos amarrados e pendurados num pedaço de madeira, cheio de atitude empreendedora, agindo por instinto, sem imaginar o significado teórico da expressão empreender.

No primeiro bordel, mostrei os frangos para a moça que estava do lado de fora com o olhar alheio, a expressão entediada e o cigarro no canto da boca.

— Ah, menininho, que pena. O oveiro já passou ontem!

Não me dei por vencido.

— Será que não poderia comprar só um para me ajudar? Estou vindo de longe e preciso vender. Se quiser, posso depenar o frango para a senhora e entregar limpinho!

Ela se compadeceu, comprou uma ave e foi gentil.

— Pode deixar que eu mesma vou limpar!

Aprendi que o oveiro era o meu concorrente direto. Bem mais sofisticado, ele andava de charrete, vendia ovos e frangos. Comecei a pensar como fazer. A Votuporanga daqueles dias contava com umas vinte casas de prostíbulo e decidi mudar a estratégia de venda. Debaixo dos grandes pés de mamona, eu escondia, por exemplo, cinco dos seis frangos que levava para vender, como parte da estratégia. E seguia para o cliente, com apenas um frango pendurado e um novo argumento.

— É o último que tenho para vender.

E assim vendia todos os frangos. É claro que o leitor poderá afirmar que eu usava a lei da escassez de maneira inadvertida, mas ofereço uma pergunta.

Um garoto ingênuo e faminto, de pés calejados por andar quilômetros a pé, cuja família estava em casa, aguardando alimento, pode ser perdoado?

Eu creio que sim. Usei esse expediente só nas primeiras vendas. Mais consciente, fui percebendo que precisaria superar o concorrente, o oveiro da carroça. Descobri que ele chegava um pouco mais tarde e comecei a passar pelos estabelecimentos bem cedinho. Foi o suficiente para vender todos os frangos e nem precisava mais esconder.

É claro que sem charrete, franzino, carregando os frangos nas costas, eu não dava conta de abastecer tantos estabelecimentos, mas já incomodava o oveiro. Até que um dia, precisei enfrentar o concorrente, olho a olho. Depois de uma curva, me deparei com o oveiro, em pessoa. Era um homem muito alto, de semblante fechado. Por dentro, eu estava com medo. Por fora, fiz o que pude para "enfrentá-lo".

— Ô moleque, o que você está vendendo aí?

— Frango, senhor!

O oveiro estufou o peito e pareceu ainda maior.

— Essa aqui é minha área, moleque!

Devolvi do jeito que recebi.

— Preciso ganhar dinheiro para sustentar a minha família. O senhor tem charrete e vende 40 ou mais. Eu só vendo uns dez ou doze frangos. Há espaço para nós dois!

Depois de uma séria encarada, ele levantou seu chicote e me preparei para correr. Mas em vez de me agredir, chicoteou de leve o seu cavalo e saiu, sem dizer qualquer palavra. Naquela manhã, aprendi outra lição valiosa para toda a vida:

O concorrente pode até fazer cara feia, ameaçar e se incomodar, mas quando seu oponente faz um trabalho bem feito e assume um pouco do *share*[5], em dado momento, sua única escolha é aceitar.

E naquele tempo, na maioria das vezes, roupa era feita em casa. Eu vendia os frangos, depenava para as senhoras que assim preferiam e seguia fazendo amizade. Certo dia, o pedido de uma delas mostrou que eu poderia aumentar os lucros.

— Menino, será que você poderia dar um pulo até a cidade para buscar renda, linha e elástico?

---

5 *market share* – percentual do segmento de atuação que é dominado por determinada empresa. Por exemplo: o pequeno vendedor de frangos mencionado na obra assumiu aproximadamente 30% do *market share* em relação ao oveiro, que ficava com os outros aproximados 70%.

Foi o início da função que poderíamos batizar como *charreteiro-boy*. Naqueles dias de preconceito, "moça de família" não andava de charrete. Esse meio de transporte era considerado recurso dos artistas e das "mulheres da vida".

Tião Carreiro foi um desses exemplos, e, nos tempos de hotel, se tornara amigo de meu pai. O artista cantava no circo, e, lá pelas tantas, sua charrete era estacionada em frente ao hotel. Lembro-me de ter presenciado um diálogo entre o meu pai e esse grande intérprete.

— Tião, quem trabalha como eu não assiste ao seu show. Tem como tocar uns "modão" para nós?

— Você tem aquela cervejinha bem gelada e o frango a passarinho com alho de que eu tanto gosto? - Já está pronto, Tião!

Entre uma beliscada no frango, um gole de cerveja e dois dedos de prosa no intervalo de cada modão, Tião Carreiro & Pardinho soltavam a voz.

E de volta ao tema da charrete, as damas da noite me pediam para comprar na cidade praticamente tudo o que precisavam, c, como sabiam que eu voltaria com muito peso, não me deixavam ir caminhando. Assim, alugavam charretes para que eu fosse buscar as encomendas. O fato é que as moças eram extremamente generosas, tão sofridas quanto qualquer trabalhador que vive às margens da prosperidade. Ou seja, os clientes eram ricos, e elas margeavam essa riqueza para atender aos caprichos daqueles que pagavam.

Costumo brincar com os amigos mais próximos e dizer que nessa época fiquei chique. O pé cascudo agora andava de charrete e o trajeto para comprar os itens incluía exatamente aquele trecho da fatídica carona que jamais existiu. Na caderneta de pedidos, eu anotava as encomendas.

Casa da Rosalva – batom, dois cortes de renda, um par de brincos prateados
Casa da Silvia – um par de chinelos, um pedaço de queijo, duas garrafas de cachaça

Além do dinheiro com a venda dos frangos, agora tinha o complemento de renda. Comprava exatamente o que desejavam e as meninas ficavam felizes pelo serviço. Generosas, sempre me deixavam ficar com "o troco".

Paguei os aluguéis atrasados, comprei os remédios de que minha mãe precisava, renovei roupas e calçados para todos e até alguns móveis foram trocados. Plantei feijão, batata, batata-doce, verduras e ainda contratei uma pessoa para me ajudar a transformar aquele pequeno pedaço de chão num espaço fértil.

Em resumo, posso dizer que o empreendedorismo não se apresentou como um sonho, e sim sob o formato de necessidade. Se tivesse trabalhado como boia-fria, o garoto de onze anos passaria fome e faria os seus passarem. As opções estavam resumidas a empreender num pequeno negócio ou a chorar pelo sumiço do pai. Fiquei com a primeira...

Em vez de reclamar, esse breve relato visa a mostrar que existe um norte na vida de quem está desesperado, porém olhar para o horizonte, embora seja poético, não basta. Eis o que se faz necessário:

- Em vez de esperar que a ajuda caia do céu, é preciso identificar quem pode estender uma mão e se tornar parceiro de negócios, como fiz ao pedir frangos para Lindolfo;

- Enxergar na adversidade oportunidades que poucos enxergaram, como fiz ao oferecer frango nos prostíbulos;

O que vi, aprendi e recomendo para a vida

- Agarrar as oportunidades, como fiz assim que a gentil senhora ofereceu o emprego de "charreteiro-*boy*";
- Encarar os concorrentes, como encarei o oveiro;
- Entender que a vida não imputa responsabilidade antes que o ser humano esteja pronto para assumi-la, tal qual aconteceu comigo, que ainda na puberdade precisei assumir as despesas de uma família inteira.

Não fiz tudo isso para receber a aprovação do pai quando ele voltasse. Fiz porque precisávamos e empreendi porque a vida impôs. Jamais entendi que a vida me impingiu fardos ou castigos. Não fosse essa prematura experiência, é provável que mais tarde eu não fosse o líder que tantas pessoas aprovaram e seguiram.

Quanto ao meu pai, voltou da empreitada e explicou a demora. Ele não encontrara o seu algoz, e, depois de um tempo viajando, o dinheiro acabara. Decidiu assumir uma fazenda no Mato Grosso e voltar com dinheiro para o lar. Afinal, o senhor Américo não era do tipo que retornava com as mãos abanando. Quando viu tudo que fiz e ouviu de minha mãe tudo que enfrentei, ele, homem de poucas palavras, disse, de coração, o que foi possível dizer:

— Bacana, hein, menino? Você resolveu tudo!

Capítulo 6

Sem enfrentar o que é errado, qualquer conquista é uma ilusão

Capítulo 6

Nunca encontrei ou consegui algo que pudesse classificar como fácil. Com a postura de enfrentamento que defendi em toda a minha vida como executivo e tenho defendido aqui como autor, é de se esperar que não seja tarefa fácil combater o que é errado e quem se dispõe a praticá-lo.

Sempre que coloquei o carro das conquistas na estrada, por assim dizer, a vida me mostrou duas coisas.

1. Toda conquista definitiva passa pela rodovia das dificuldades, pelo trânsito do contratempo e pela estrada vicinal do enfrentamento;

2. Toda conquista fácil prevê um atalho livre, mas nenhuma se mostra duradoura.

Não conto as ocasiões em que as pessoas perguntavam se eu estava mesmo disposto a peitar deputados, vereadores, fiscais corruptos ou sindicalistas de intenção duvidosa.
— Sim!

A resposta sonora, sólida e convicta nenhuma vez mudou ou hesitou. Passou da hora de entendermos que políticos são nossos funcionários, e não o inverso. O principal problema da maioria dos brasileiros é substituir o enfrentamento, que deveria ser contínuo, pelo constante encolhimento.

Basta o político bater o pé, ameaçar e logo surge quem prefira correr, com medo de um "poder" acima do normal que só existe se permitirmos.

Sem medo, evita-se uma série de problemas futuros que nasceram enquanto o líder assumiu uma convicção passiva diante das autoridades, que, embora eleitas pelo povo, passam a defender interesses pessoais ou dos aliados, em detrimento de pessoas, grupos e associações.

— Ah, eu não vou me meter nisso. O cara tem poder de influência e vai acabar puxando o meu tapete!

Quando os primeiros milhares da Petrobras começaram a sair pelos dutos da corrupção, antes ainda de se tornarem milhões ou bilhões, posturas assim serviram como o tapete vermelho que os bandidos precisavam para entrar, saquear e esconder o fruto do roubo.

Eu sei que a proposta da obra não é trafegar pelo cenário político, mas é meu dever oferecer uma reflexão sobre esse contaminado ambiente.

A praga do ilícito que se propaga em acordos desonestos costurados às escuras da má política contamina, por inspiração maldita, o ambiente privado. Isso mesmo; muita desonestidade comprovada dentro dos muros corporativos tem por inspiração a impunidade política que ninguém teve coragem de enfrentar. Por sua vez, o bandido que rouba uma empresa, crente de que sairá impune, tende a pensar:

A empresa fatura milhões. Que diferença essa mixaria vai fazer?
Mascarei tudo muito bonitinho. Nunca vão descobrir!

> Estou desviando um pouquinho, mas é por uma boa causa!

> Estou ganhando um pouco de dinheiro por fora neste negócio, mas em outros ajudarei a empresa a recuperar. No fim, vai dar no mesmo!

> Estou precisando destes produtos. A empresa tem de sobra no almoxarifado. Não vai fazer falta alguma!

> Meu cargo permite demitir qualquer um a qualquer hora. Ainda que alguém descubra algo, vai temer pelo próprio emprego antes de bater na porta da diretoria!

Abaixo da hierarquia, colaboradores indispostos ao enfrentamento do ilícito tendem a pensar o seguinte:

> O patrão que se dane. Eu sei que o chefe está roubando, mas quem mandou comprar um sistema frágil e que permite manobras?

> Eu é que não vou me meter nisso; não sou puxa-saco!

> Não sou pago para dedurar ninguém. Cada um que saiba onde o calo aperta!

> Patrão que não dá aumento, acaba sendo roubado. É a lei da vida!

> Se me promovesse ao cargo de líder, eu até poderia dizer o que está errado!

Esteja o ilícito conectado aos líderes ou aos colaboradores, quem pratica é corrupto e ladrão. Mas aquele que sabe e prefere ficar calado ou encolhido, em vez de enfrentar, é melhor?

Eu costumo dizer o seguinte para os meus times:

— Gente, coragem! No meu caso, enfrento políticos e sindicalistas sem apoio de ninguém. No caso de vocês, como seu líder, declaro apoio irrestrito ao enfrentamento daquilo que é errado. A pessoa é superior a vocês e não tem correspondido aos valores da empresa? Vocês têm total direito de dizer: "você assumiu um cargo de confiança, mas desrespeita a equipe e não entrega aquilo que deveria entregar. Isso é errado e vou conversar com o presidente".

Muitos empresários podem discordar desse estilo, porém asseguro que funciona, por uma razão elementar. Às vezes, o colaborador pula uma pequena ponte hierárquica e leva o problema para o seu segundo líder, antes de chegar ao alto escalão da presidência, função quase sempre blindada por uma regra que só Deus sabe quem teria inventado. E quando existe um problema, a segunda hierarquia pode estar comprometida e fazer parte do ilícito. Ou seja, o colaborador está exposto ao risco de enfrentar o que está errado, abre o jogo com o segundo líder e conta tudo o que sabe, sem saber que esse líder é conivente ou coautor do que é errado. Como resultado, esse colaborador é demitido e os dois líderes continuam administrando e vampirizando a empresa, até que apareça um segundo colaborador disposto a enfrentar, depois um terceiro, quarto...

É dessa maneira que as boas pessoas deixam boas empresas. Como executivo, sempre estive de porta aberta para aqueles que se dispõem a acabar com qualquer atitude desonesta e inescrupulosa. Isso é diferente de formar alcaguetes. O que formamos é um exército funcional disposto a agir de maneira proba e se indignar com circunstâncias ou colaboradores que caminham longe da retidão.

Numa empresa, quando todos sabem que o presidente oferece acesso livre a quem deseja enfrentar o ilícito, a cultura da honestidade é enraizada, pois as pessoas são educadas e reeducadas a fazerem o que é certo e justo.

O presidente de empresa que alega não ter tempo para receber um colaborador que está enfrentando, por exemplo, um grupo de colaboradores ladrões, precisará conseguir tempo, lá na frente, para investir pesado na contratação de auditores que "tentarão" descobrir quem e quanto está sendo desviado por "qual" setor.

Num paradoxo, observa-se mais pessoas dispostas a morrerem pelo time do que pela pátria, como se diz no hino. Enquanto isso, nas empresas, há mais colaboradores dispostos ao encolhimento do que corajosos prontos para o enfrentamento.

Nunca perdi um emprego por ter enfrentado algo ou alguém que prejudicava a empresa. Ao contrário, recebi reconhecimento e promoção. Nossas crianças, antes de disputarem a vaga do primeiro emprego, devem ter esse esclarecimento e essa educação, além da noção do que é certo e errado, daquilo que é nosso e daquilo que pertence à empresa.

Desde criança, Américo e Abadia, meus pais, ensinaram isso a cada um dos filhos. Na infância, por exemplo, eu não tinha dinheiro para comprar o ingresso do circo, porém queria ver o trapezista, as feras domadas, os palhaços e a coisa toda.

Até hoje, me recordo da conversa com a dona de um desses circos.

— Quero assistir, mas não tenho dinheiro. Existe algum trabalho que eu poderia fazer para ter acesso ao espetáculo?

A velha senhora de sotaque russo gostou de mim. Pediu para que eu esperasse e voltou logo depois, segurando um porta-pirulitos com 50 unidades. E fez a sua proposta.

— Menino, se você vender todos esses pirulitos, eu te dou uma entrada. No seu lugar, eu não demoraria muito. O show vai começar dentro de 30 minutos. Ofereça a cada papai e mamãe da fila. Quando terminar, volte aqui, me entregue a caixa decorativa e o dinheiro da venda. Não precisa vender as 50 unidades. Venda 44 e fique com seis pirulitos de presente.

O que vi, aprendi e recomendo para a vida

O que acha?

Deus sempre colocou diante de mim pessoas nobres, como, por exemplo, a dona desse circo. Aceitei o trabalho digno, cumpri a meta e vendi 45 pirulitos. Quando entreguei a caixa decorativa e prestei conta do dinheiro, disse para a minha parceira de negócios:

— Agradeço pelo seu presente generoso, senhora. Tenho só quatro irmãos, e, contando com o meu, cinco pirulitos bastam. Aqui está o dinheiro dos outros 45 que vendi.

— Foi um prazer fazer negócios com você, rapazinho. Continue assim e terá um grande futuro!

A senhora virou-se para o segurança e deu a ordem.

— Dê um ingresso para esse garoto na primeira fila. Ele merece ver tudo de perto!

Em tudo que empreendi, desses pequenos "causos" até as decisões de grande expressão, que no futuro precisei tomar como executivo, inseri estratégia para fazer tudo certo e não precisar corrigir.

Bem cedo, a experiência do oveiro me mostrou que nenhum plano pode ser executado sem estratégias bem definidas e total conhecimento da concorrência. No futuro, assinei negócios (e ainda assino) que influenciam a vida de incontáveis famílias. Cada decisão dessas é inspirada no que é certo, justo, e, sobretudo, no enfrentamento de quem possa ser capaz de impedir a lisura das decisões empresariais.

Não é preciso muito mais do que isso para nivelar o Brasil que a gente vive em níveis social, comportamental e empresarial das nações mais abastadas. O segredo do sucesso dessas nações cultas tem três características que aprendo desde criança e ensino às minhas equipes: honestidade, justiça e enfrentamento.

É difícil?

Capítulo 7

O passado é uma fonte inesgotável de aprendizado

Capítulo 7

No final da década de 60, meus pais decidiram que eu moraria com a minha avó, a fim de estudar com maior regularidade e recuperar o tempo perdido por tantas mudanças de endereço que resultavam na reprovação para a próxima série.

Escola nova, experiência diferente, lá estava eu matriculado no colégio prof. Siqueira de Moraes, em Jundiaí. Sentei-me numa cadeira dupla, comum naquela época, ao lado de um amiguinho. Usávamos caneta do tipo pena, e, muitas vezes, um precisava do tinteiro do outro emprestado. Construímos uma amizade bacana, e, após 50 anos sem encontrar esse garoto, que se chamava João Carlos José Martinelli, tive notícias dele; destacado pela mídia, exitoso em sua área.

Certo dia, num evento, acabamos nos reconhecendo, e, curiosamente, Martinelli também comentou que tivera notícias minhas pela imprensa. A lição que se pode validar dessa amizade retomada após cinco décadas revela algo que todo profissional merece aprender, principalmente aquele que pretende, um dia, liderar um grande time e uma vultosa operação comercial ou industrial.

"Não importa quantos anos você tenha. Trate com carinho quem está sentado ao seu lado. Cedo ou tarde, a vida vai se encarregar de cruzar os seus caminhos, e, quando isso acontecer, você vai pensar 'que mundo pequeno' é mera constatação temporal. Bom mesmo é refletir que 'depois de tanto tempo', a pessoa ainda valoriza a sua existência".

A menção que faço ao amigo João Carlos José Martinelli, também escritor, é uma merecida surpresa. Ele nem imagina que será citado em minha colaboração escrita para as próximas gerações.

Dentre professores, negociantes, amigos e familiares, repare que a todo instante busco os aprendizados de uma época remota para oferecer e inspirar os leitores para as soluções do presente e do futuro. São essas pessoas, responsáveis por referenciar o nosso passado, que devem fazer a diferença no exercício diário de empreender, liderar, vender e prosperar.

Antes de registrar soluções que incluam pessoas, produtos e serviços, considero essencial despertar nos leitores o bom saudosismo. Note-se a diferença: o nocivo saudosismo, comum entre as pessoas tradicionalistas e contrárias a qualquer proposta de inovação, deixa a pessoa avessa a mudar. O bom saudosismo é este que proponho, segundo o qual resgatamos pessoas e respectivas ações que fizeram a diferença. Por meio da inspiração nessas pessoas e ações, nos preparamos para traduzir o que foi feito para a melhor solução presente e a maior repercussão futura possível.

Pensando nisso, vou apresentar dona Ana. Viúva aos 41 anos e com cinco filhos para criar, precisou dar um jeito. E deu...

Lavava a roupa dos clubes esportivos e das famílias. Não obstante, pioneira e visionária, montou em Jundiaí uma espécie de creche (que na época sequer tinha esse nome) para cuidar das crianças cujas mães precisavam trabalhar fora.

Conhecida por ser linha dura com as crianças, na realidade, era muito justa, e, mesmo analfabeta, sabia por intuição que seu papel era corroborar a educação que as crianças tinham em casa, por sua vez dando o melhor de si. Muitos anos depois disso, já bem velhinha, dona Ana recebia visitas de profissionais que fizeram sucesso em áreas diversas e voltavam para dar um abraço e trazer uma lembrancinha para aquela simpática senhora que lhes ensinara a diferença entre certo e errado, justo e injusto. Um desses rapazes, por exemplo, tornou-se executivo internacional, e, sempre que vinha ao Brasil, fosse para gozar férias ou trabalhar, visitava dona Ana. Certa vez, ele me levou às lágrimas com as seguintes palavras:

— Orlando, a sua avó é uma sábia. Ela me deu educação e postura. Meus pais trabalhavam fora e eu ficava "solto", sem disciplina. Foi dona Ana quem me ensinou a ser o homem que me tornei.

Vi tudo isso muito de perto, enquanto morava com ela. A minha avó, que abriu este capítulo, é a própria dona Ana. Toda fração de coragem que corre em minhas veias, penso, tem origem primária nos pais e secundária em dona Ana, uma figura extraordinária.

Ela fazia compras no armazém e anotava na caderneta, até que desconfiou de algo errado.

— Filho, as últimas três cadernetas ficaram bem mais caras, só que eu não trouxe mais mantimentos do que o normal. Pode somar para a avó?

Com todo o capricho, linha a linha, somei várias vezes e identifiquei, nas três, uma diferença que ultrapassava 30%. Primando por não ser injusta com o dono do armazém, dona Ana pediu ao pai desse executivo internacional que avaliasse a conta que eu fiz.

— Está certinho, dona Ana. Seu neto já sabe fazer conta. Pode puxar a orelha do dono desse estabelecimento. Inclusive, vou escrever um bilhete para ele confirmando que as contas erradas estão em favor dele e em desfavor da senhora!

Dona Ana agradeceu, me pegou pelo braço e fomos até o armazém. A conversa permanece viva na minha caixa de recordações.

— O senhor está me roubando. Meu neto fez a conta e o diretor da *Vigorelli* confirmou. Faz três meses que minha caderneta está acima do valor. Eu poderia chamar a polícia.

O italiano empalideceu, gaguejou e pediu desculpas.

— Dona Ana, se isso aconteceu, foi algum engano e é claro que não tive a intenç...

Antes que ele acabasse, minha vó o interrompeu.

— Engano só para o teu lado?

— Vamos fazer assim: neste mês a senhora pode fazer a sua compra e não vai pagar nada. No próximo, metade da sua despesa será por conta da casa.

E assim combinaram. Na realidade, não foi nenhum presente. Os descontos e concessões representavam o que subtraíra dela. Quando deixamos o estabelecimento, ela me disse:

— Que "fia da puta", né, "fi"? Ele pensa que gente analfabeta é burra!

E rimos juntos do italiano vencido pela sagacidade. A inteligência emocional e a capacidade instintiva de minha avó eram marcantes (duas características que se repetem dentre todos os grandes líderes, gestores e empreendedores).

Por aqueles dias, uma família se mudou para a vizinhança, a saber, com dois garotos que tinham mais ou menos a mesma idade do que eu. Enquanto os pais trabalhavam, eles ficavam boa parte do tempo pela rua. Vez e outra, brincávamos juntos. Não tardou para que esses dois irmãos começassem a achar coisas. Um relógio aqui, um anel ali, um brinquedo acolá. Pareciam sortudos demais. Minha avó foi direta com a mãe.

— Viu, eu vou te dar um toque. Seus filhos acham muita coisa. O meu neto nunca encontra nada de outras pessoas, e, se achar, exijo que ele me diga onde e como aconteceu. Você está dando bobeira com os seus meninos!

— Está chamando os meus filhos de ladrões, dona Ana?

— Não. Eu estou abrindo seus olhos e te pedindo para fiscalizar, por consideração. Sinto que tem algo suspeito que eles fazem quando não estão contigo. Cuidei de você quando era criança, gosto de você e quero o melhor para os seus filhos. O que é errado tem que ser corrigido assim que se descobre. Pense nisso!

Após a partida da mãe dos garotos, foi a vez de dona Ana falar comigo.

— Orlando, eu te conheço e nem preciso dizer para você não aparecer com coisas achadas. Mas tome cuidado quando estiver brincando na rua com esses dois meninos.

Eu a tranquilizei, me afastei dos dois irmãos e o assunto foi esquecido. Em vez de atentar-se aos achados de seus filhos, a mãe ficou chateada com dona Ana e passou a evitá-la. Quatro meses depois, os achados tinham evoluído e os dois irmãos apareceram com uma bicicleta, vinda ninguém sabe de onde ou como. No dia seguinte, a polícia apareceu para resgatar "o achado".

A mãe dos garotos, de tanta vergonha que sentiu, se mudou dali e deixou para trás uma lição que eu nunca mais esqueceria: o enfrentamento. A minha avó poderia ter ficado calada e ignorado, mas, no fim, penso que ela fez tudo aquilo para me ensinar três lições que pratiquei, continuo usando e sempre exercitarei:

1. Mentira tem perna curta para quem lidera (pais

ou educadores) e quem é liderado (filhos ou colaboradores);

2. Em outro capítulo, falei sobre o encolhimento diante do que está errado. Dessa vez, o exemplo da mãe dos garotos nos apresenta outra postura indevida: o orgulho. Tivesse a mãe escutado os conselhos de dona Ana, seus filhos não teriam evoluído nos roubos. O mesmo ocorre com os líderes orgulhosos que se recusam a escutar conselhos do colaborador, por julgá-lo menos sábio ou menos capaz;

3. Por mais que os pais tenham vidas profissionais atribuladas, não podem e tampouco devem deixar os filhos sozinhos em tempo integral. Os pais desses dois garotos, mesmo com a chance de colocá-los sob os cuidados de alguém como dona Ana, optaram por deixá-los ao sabor do acaso. Qualquer semelhança com o que acontece dentro de uma empresa não é mera coincidência. Como líderes, não podemos contratar aqueles que se saíram melhor no processo seletivo e largá-los à própria sorte.

Por último, é relevante avaliar que filhos e colaboradores têm necessidades muito parecidas.

A criança com a sorte de ter uma dona Ana em sua vida tende a ser engrandecida. O colaborador que tiver a sorte de trabalhar com um líder dotado da habilidade de encontrar o melhor caminho, em vez do mais fácil, tende a ascender na carreira.

Como não há líderes corajosos em cada esquina, a vida talvez convide o próprio colaborador a tomar, por si, decisões que requeiram enfrentamento e consequências.

Eis a dica de quem se inspirou na lendária figura de dona Ana:

Enfrentar não é a palavra-chave do futuro. É a palavra-chave do passado, esquecida no presente, e que precisa ser resgatada para o futuro promissor existir.

Capítulo 8

Quando o castigo se torna a maior lição de liderança

Capítulo 8

Entre 13 e 14 anos, na Fazenda Guaxinduva, vivenciei dias de castigo que me prepararam para vencer. Parece estranho, mas foi isso mesmo...
Ainda por ocasião do convívio com a saudosa dona Ana, nessa fase da adolescência, comecei a dar trabalho. Matava aulas, bagunçava e dava um "perdido", como dizem os garotos do século XXI. Ela conversou comigo uma vez, insinuou, sábia como era, que alguma má companhia provavelmente estava influenciando minha vida. Eu dei de ombros e afirmei, como todo bom adolescente:

— Vó, eu sei o que estou fazendo!

Persisti nas falhas, e, certo dia, chegou um bilhete da escola para a minha avó, que não sabia ler e pediu a um vizinho, Sr. Luiz. O conteúdo sentenciaria uma espécie de castigo, mas edificaria meu caráter em definitivo:

> Dona Ana,
>
> Informamos que o seu neto Orlando Marciano faltou três vezes somente nesta semana. Gostaríamos de uma explicação.

Ela não teve dúvidas e mandou chamar o meu pai. Assim que o senhor Américo chegou, quis saber da boca dela o que estava acontecendo. Depois de escutar sobre as faltas e sobre o comportamento, sua decisão foi imediata.

— Ah, é? O mesmo garoto que tinha onze anos e sustentou sozinho a família agora está aqui se esbaldando, matando aula, vagabundando, enquanto a gente pensa que ele está estudando para ser alguém na vida? Faça as malas, Orlando. Você vai embora comigo!

Choraminguei enquanto arrumava minhas coisas. De canto, minha avó observava, triste, porém com o olhar firme. No fundo, sabia que o melhor era me afastar das companhias e dos amigos que eu fizera.

Chegamos à fazenda. Os dias de mãos fininhas chegavam ao fim. Meu pai pegou um cabo de guatambu, o melhor para enxada, e uma lima K&F, para que eu pudesse amolar a lâmina.

A Guaxinduva daqueles dias estava uma quiçaça[6] abandonada. De nossa casa até a represa, eram mais ou menos uns 10.000 m². Meu pai a assumira para atender ao pedido dos patrões e transformá-la numa fazenda dedicada ao cultivo de uvas. Ninguém ousava duvidar de que o senhor Américo daria conta do recado. Ele buscou informação com os italianos da região, contratou diversas pessoas e tocou o projeto Guaxinduva, que agora tinha mais um integrante, eu.

Olhando até onde a vista alcançava, só se via lixo,

---

6 Quiçaça – linguagem típica da agricultura que traduz um campo de vegetação arbustiva, carente do cultivo apropriado.

tocos de árvores um dia arrancadas e restos mortais de uma lavoura outrora cultivada. Entender a tarefa foi fácil. Imaginá-la completa, nem um pouco.

— Orlando, sua tarefa é limpar tudo isso, daqui até a represa. Quando terminar, você vai estar bom de enxada!

Um pensamento me ocorreu.

Por que não frequentei a escola, direitinho, ao lado de minha avó?

Comecei a capinar. Em alguns trechos, o arbusto cobria minha altura. No fim do dia, eu conseguira capinar algo próximo de 100m, quantidade que não fazia cócegas no vasto espaço que aguardava golpes de enxada.

No primeiro dia, as bolhas arrebentaram. Dona Abadia, minha mãe, preparou um pano branco, alvejado, para o dia seguinte, que usei como faixa para amenizar o efeito do atrito. Não adiantou muito. O suor e o sangue se misturavam e escorriam pelas mãos, faziam com que o tecido de algodão e o tecido da pele fossem uma coisa só.

Às vezes, meu pai passava por mim, dava uma fiscalizada na tarefa e disparava ordens.

— Está ficando bem carpido, mas bata a touceira, senão vai enraizar outra vez. Depois de arrancar, vire a raiz ao sol para ter certeza de que vai morrer mesmo. E outra coisa, Orlando, junte o material que encontrar no meio do mato: madeira com madeira, ferro com ferro, tijolo com tijolo. Organize tudo!

Na hora do almoço, retirava o pano de algodão, um dia branco e limpo, que ali refletia uma mistura de tons visíveis ou não; o castanho da terra, o vermelho do sangue e o incolor que se misturava entre suor e lágrimas. À noite, minha mãe lavava tudo com salmoura, para não infeccionar.

As noites eram insones. De tão cansado, não conseguia descansar. Àquela altura, cada centímetro das mãos, do meio aos cantos, rachava pela enxada, e, devagar, cicatrizava pelos cuidados maternos. Em seguida, estava tudo rachado outra vez...

Antes de iniciar como colaborador na Cica, vivenciei dois anos e meio na Guaxinduva. Dez dias depois de iniciar a tarefa, o sangue, o suor e as lágrimas deram lugar a uma crosta e as mãos se tornaram uma rocha. Mais de uma década foi necessária para que desaparecessem todos os calos conquistados.

Volto a dizer: a obra não é uma queixa, mas o relato real de quem viu e experimentou tudo isso antes de iniciar uma carreira humilde que levaria ao mais disputado dos cargos corporativos: a cadeira de presidente.

Sou grato ao meu pai. Não fosse o corretivo, onde eu estaria? Sou grato à minha avó. No fundo, ela sabia que eu precisava viver aqueles dias difíceis.

O dono da Guaxinduva era um homem muito culto e justo. Ensinou-me disciplina, comprometimento e ordenação. É claro que não consegui cumprir sequer um terço da tarefa de carpir tudo aquilo. A intenção de meu pai nunca foi essa. Ele queria mesmo era mostrar que a vida pode se mostrar difícil aos que têm pouca ou nenhuma oportunidade, e, por conseguinte, desejava que eu procurasse outras possibilidades. Era o jeitão do senhor Américo de ensinar. Entretanto, dona Abadia nunca se deu por vencida, e, nesses dias de enxada e de tarefa, intercedia em meu favor. Nessas ocasiões, escutava o argumento do marido.

— Deixa comigo, eu não vou formar filho vagabundo. Esse menino vai longe, mas precisa aprender umas coisas!

Minha mãe revezava no tratamento das mãos. Pomada na esquerda, ervas na direita e lágrimas que banhavam as duas. Ninguém saberia dizer se essas lágrimas que caíam na bacia de alumínio amassada eram minhas ou dela.

Afirmo que cada lágrima teve seu valor e cada dor gerou um aprendizado. Passados aproximadamente vinte dias, meu pai colocou fim ao castigo. Eu golpeava a terra em busca de conquistar mais 100 metros, e, quando percebi, tinha uma "pequena multidão" atrás de mim. Acompanhado de uns 40 colonos fortes, ele esperou que eu olhasse e deu a ordem.

— Viu; vamos ajudar esse moço. O trabalho está difícil de acabar e ele precisa aprender outras coisas nesse fazendão!

Virando-se para mim, ele disse algo inesquecível, e talvez seja impressão minha, mas até hoje fico com a sensação de ter flagrado uma lágrima no olhar dele:

— Orlando, nós vamos acabar essa tarefa hoje!

Do jeitão dele, embora não tenha usado essas palavras, foi como se dissesse:

— Orlando, as suas mãos não ficarão mais um dia sequer em carne viva. Você levaria 40 dias para acabar. Eu trouxe 40 homens para finalizarem a tarefa em um dia. Chegou a hora de aprender outras coisas e daqui em diante você saberá valorizar o justo trabalho de um homem que se dispõe a empunhar uma enxada!

É claro que seria muita coisa a dizer. Homem de poucas palavras, resumira tudo com a frase: "Orlando, nós vamos acabar essa tarefa hoje".

Aquele exército ficou empenhado, e, de fato, num só dia, concluímos o trabalho. Incontáveis cobras foram encontradas depois que todo o terreno estava limpo e ordenado. As tentativas de bote vinham de um lado e de outro, e, ligeiro na escapada, eu pensava:

Após tanto calo, sangue, suor e lágrimas, seria muita ironia morrer por picada de cobra.

Finalizado o castigo, meu pai deu a ordem seguinte.

— A partir de amanhã, você vai acordar às 4h para

acompanhar o retireiro e trazer o leite das vacas. Todos os dias, vocês devem trazer mais ou menos 80 litros.

Aquilo que o futuro chamaria de LER, lesão por esforço repetitivo, naqueles tempos a gente classificava como pulso aberto. Precisei aprender a tirar leite com as duas mãos, porque só a mão "boa" não dava conta. Algumas vacas tinham o que chamávamos de leite mole e de leite duro. Traduzindo, leite mole é quando a vaca tem a teta mais flexível (holandesa é um bom exemplo) e a vaca de leite duro exige um esforço muito maior, como se estivéssemos a apertar uma pedra. Dentre as diferenças, o teor de açúcar também se faz valer de uma vaca para outra. Uma delas, que chamávamos de Roxinha, tinha o leite tão doce que parecia açucarado artificialmente.

Depois de dois meses abrindo o pulso, fui "promovido" para o roçado; momento em que o mato está grande e dispensa a necessidade de capinar. Em vez de mato baixo, arranca-se até "a alma" do que existir de verde.

Uma vez crescido, de ¾ adiante, o mato não pode ser vencido pela enxada e requer foice. Mas quando se pretende fazer pasto, deixar o roçado é interessante e a foice arranca tudo, exatamente como o meu pai gostava, rente ao chão, roçado por uma ótima foice afiada pela lima K&F que ele tanto admirava. Coisas que a memória armazena, até hoje me lembro de que ele gostava de uma foice cuja marca era Sertãozinho.

Com as mãos calejadas e fortes, fiz as covas para plantar as mudas de uva, a começar por aquela que chamávamos de cavalo ou porta-enxerto, que é "a uva que produzirá a uva desejada", e permite que se plante a uva desejada num raminho fininho, e, no ano seguinte, estará na grossura de um dedo.

Na Guaxinduva, os únicos que sabiam enxertar eram os italianos. Fiz amizade com diversos desses italianos da região que dominavam a técnica, e, até hoje, alguns ainda são meus amigos. Entre julho e agosto, enxertavam com esmero, segredo e exclusivismo. Detentores de uma técnica lucrativa, é óbvio que não gostavam de ensinar e faziam os enxertos às escondidas. Eu levava café, broa de fubá, perguntava isso, aquilo e ia aprendendo as técnicas até ali confidenciais. Sem a ordem de meu pai, selecionei quatro "cavalos" e ensaiei os enxertos, dos quais três vingaram. Entendi que era o momento de testar o conhecimento, e, humildemente, fazer uma proposta para encontrar o resultado que nem mesmo o meu líder conhecia.

Alguma semelhança com o que acontece dentro das empresas?

E ousei indagar...

— Pai, posso enxertar uma rua inteira de uvas?

— Está doido, Orlando? Só italiano domina essa técnica!

Eu o levei até o lugar em que estavam três dos bem-sucedidos enxertos.

— Eu tentei quatro e já sei o que aconteceu com este que não deu certo. Aí estão os outros três que vingaram.

O eterno homem de poucas palavras autorizou.

— Pode tentar!

Ele me deu uma rua discreta, destinada a ser trabalhada por último, longe dos olhares dos italianos, pois não queria conflito. O recorde de assertividade dos experientes cultivadores era de 82%.

Fiz com tanto esmero, analisando a junção de casca a casca das uvas, considerando o efeito da junção e imaginando como seria a cicatrização dos brotos. Alcancei 92% de acerto.

Como todo *case* de sucesso esconde alguém nos bastidores, nesse caso foi o dono da fazenda. Homem sábio e justo, Dr. Hermes tinha quatro filhos e cada um cuidava de determinado negócio da família. Na fazenda, não conto as ocasiões em que o filho de Dr. Hermes, responsável pela fazenda, surgia para me motivar ou defender. Mas neste dia do enxerto exitoso, o meu pai chamou o próprio patriarca, Dr. Hermes, para mostrar o feito, e as palavras do fazendeiro mudaram a minha vida.

— Dr. Hermes, acredita que o meu menino conseguiu enxertar uma rua de uvas?

— E quem o ensinou?

— Os italianos deram algumas dicas e o resto foi por conta dele.

Saíram os dois para visitar a rua enxertada e eu segui ao lado deles, ansioso pela aprovação. Dr. Hermes parou diante da rua enxertada, olhou de lá para cá, do topo à base, e chegou bem perto das uvas. Um longo tempo depois, virou-se e ofereceu ao meu pai o *feedback* que motivaria a minha vida como homem de negócios.

— O seu menino nasceu para ser vitorioso. Vai ser um grande homem. Esta conquista comprovou o que eu já reparava: ele é brilhante em tudo que faz e vai chegar muito longe!

Naquele ano, Dr. Hermes viajou para a Itália, e, quando voltou, trouxe as novidades dos canivetes especiais, para que eu usasse nos enxertos, além de me ensinar o cultivo da uva usada nos vinhos licorosos, o plantio dos belíssimos pomares e a manutenção de lenha para abastecer a fazenda.

Eu dominava o trator como nenhum operador, conhecia praticamente todos os expedientes de uma fazenda e fazia a parte estratégica como poucos. Aos olhos de meu pai, que estudou pouco e era um visionário; e aos olhos de Dr. Hermes, que viajou o mundo e enxergava em mim um homem de futuro promissor, faltava algo importante: liderar nas adversidades. Aliás, sábios homens o meu pai e o Dr. Hermes, que me prepararam para fazer uma grande empresa crescer, mesmo enfrentando a tempestade das crises políticas e econômicas.

Liderar homens que trabalham com a força bruta não é tarefa fácil. Um desses se chamava Eli e se tornou amigo. Era o nosso coringa e desenvolvia bem qualquer função.

Outro lendário membro da equipe tinha o nome de Otavio, homem temido, com fama de ter matado pessoas pelos sertões do Brasil. Estava sempre de cara feia, quase não falava. Até o sujeito mais corajoso ficava com medo só de olhar para o Otavio. Ocorre que o trabalho desse temido homem não estava bom. No roçado, deixava rabo, como chamávamos. Isso quer dizer que roçava, mas em vez de arrancar, só pisoteava. Como líder, eu precisava dizer ao Otavio que o seu trabalho não estava bom. Depois de horas pensando como chamar a atenção de tão temida figura, tive uma ideia. Chamei o Eli e pedi ajuda. Solicitei que deixasse rabo em seu roçado e disse que chamaria sua atenção na frente de todos. Depois disso, pensava eu, seria mais fácil acessar Otavio. O amigo topou, me desejou sorte e reconheceu que eu tinha um baita desafio pela frente, pois os colonos tinham medo até de dizer bom dia para o Otavio. E lá fomos nós. Quando percebi que Eli e Otavio estavam próximos o bastante, liderei.

— Eli, estou notando aqui umas coisinhas, um rabo no seu roçado. Não é muita coisa, mas o nosso chefe é um cara que gosta de trabalho sem falha. Você conhece o meu pai, né? Teria como refazer esse trecho do roçado?

O amigo concordou e aproveitei a deixa.

— Sr. Otavio, o seu também precisa ser refeito. Da mesma forma, não é muita coisa, mas não ficou zerado.

O peão colocou a foice sobre o ombro, veio em minha direção, e chegou bem perto antes de abrir a boca.

— O que é, garoto? "Vosmicê" "tá" querendo dizer que não sei "trabaiá"?

— É um "detalhe pequeno", Sr. Otavio. Porém precisa ser refeito. Pode acontecer com qualquer pessoa...

— Ô menino, eu não "tô" gostando do rumo dessa prosa.

Quando lideramos pessoas que se tornam próximas, elas intercedem nas necessidades. Foi o que fez Eli.

— Pô, Otavio, o menino falou com a maior educação. É a primeira vez que ele tem a chance de mostrar que pode fazer um serviço bem feito. O nosso serviço deixou rabo. Além disso, o rapaz é gente fina, traz nossas encomendas de fumo e de cachaça quando vai à cidade. Ele caça tatu, prepara e cozinha para nós. Vamos criar caso por causa de um pedacinho de terra? Bora dar uma força para ele e refazer o que deve ser refeito!

Nenhuma escola do mundo me ensinaria tamanhas lições de liderança. No futuro, sem forçar nada, de forma muito natural, sempre tive colaborador disposto a defender as minhas ideias, comprar minhas lutas e entender que o enfrentamento em grupo é um ótimo caminho.

Otavio não se deu por vencido.

— Eu vou corrigir, mas daqui para frente, não fique no meu pé. Não gosto de homem no meu calo!

— Então faça direito! – foi o que pensei, mas tenho amor ao próprio pescoço e não poderia arriscá-lo. Em voz alta, respondi outra coisa.

— Tenho certeza de que o senhor é um homem que gosta das coisas bem feitas e acho difícil que daqui para frente seja necessário mostrar rabo no seu roçado!

Ele deu uma derradeira resmungada e refez um trabalho digno. Aliás, de fato não houve mais necessidade de corrigir o seu trabalho. Falei com jeito e educação, tive o grato apoio de um amigo da equipe, não precisei demitir o colaborador, corrigi o trabalho e ainda eliminei de vez os serviços feitos pela metade. A liderança estava sendo ensinada na prática. Meu pai nunca soube desses detalhes. Fosse ele o chefe ou, no futuro, estivesse à frente de um grande grupo, eu sempre trabalharia para que a minha equipe fizesse o melhor. Quanto aos detalhes que todo enfrentamento do errado requer, é problema do líder. Depois desse dia, entendi o seguinte:

Quem lidera um homem bruto, com a fama de assassino no histórico e uma foice afiada na mão, está pronto para qualquer situação.

Capítulo 9

Quem nasceu para liderar precisa de espaço

Orlando Marciano

Capítulo 9

Além dos tratores, a Guaxinduva tinha dois veículos. Sobre a carroceria do velho caminhão modelo *Dodge*, ano 1951, ou do Ford 1947, de câmbio seco, os colonos seguiam até o lugar em que precisavam trabalhar. Aos 15 anos, eu dirigia esses caminhões que levavam os colonos pela Dom Gabriel até a Fazenda das Quintas, percurso de aproximados 40km.

Eli e eu fortalecemos a amizade. Otavio continuou marrento, porém eficiente. E a vida seguiu. O dia a dia na fazenda não era só de pressão e de sacrifício. Havia momentos de lazer. Meu pai tinha o seu jeitão rude, mas no fundo era uma alma sensível e cantava muito bem. Quando algum rapaz queria fazer serenata, o contratava, e, nessas ocasiões, minha mãe pedia para que eu fosse junto.

"Abre a janela, ó querida. Venha ver o luar cor de prata"... – e aquele vozeirão ia enchendo o ar, abrindo caminho para o amor.

Tínhamos a jovem guarda, que acabara de estourar, a festa de reis, um arrasta-pé aqui e acolá e novenas para jogar água ao pé da cruz e clamar pela chuva que salvaria a plantação. Meu pai sabia que eu estava crescendo e vivendo a fase dos hormônios.

— Não vá desonrar moça de família e veja os limites de suas ações!

Era o que meu velho pai dizia. Entre o trabalho que não era pouco, os namoricos inocentes dessa idade e os momentos de lazer, era necessário pensar em outro tempo: o futuro.

Certo dia, a visão de um tio especial marcaria e mudaria a minha vida para sempre. Casado com a tia Floripes, irmã da minha mãe, tio Luiz sempre foi um cara especial, mecânico de alto nível, esclarecido e culto.

— Américo, a fazenda ficou pequena para o Orlando. O menino tem muito potencial. Deveria sair daqui, procurar emprego numa empresa grande que possa aproveitar todo o talento dele e oferecer uma carreira. O que acha?

Meu pai olhou para mim, devolveu o olhar ao tio Luiz e respondeu.

— Se ele quiser, Luiz, pode seguir. Aqui, Orlando já aprendeu tudo o que tinha para aprender.

Virando-se para mim, a fala foi menos gentil e mais paternal.

— Teu tio está querendo ajudar. Veja se não vai aprontar de novo, viu? Lembre-se por que tirei você da casa de dona Ana, e, se algum dia pensar em fazer coisa errada, procure lembrar das suas mãos nos primeiros dias da fazenda.

Passei os festejos daquela passagem de ano, entre 1965 e 1966, na casa do tio Luiz e da tia Floripes. Como sempre, ele foi extremamente gentil:

— Feliz ano-novo, Orlando! Você vai morar comigo e procurar emprego. Se arrumar perto da minha casa, continua por aqui. E se conseguir na Cica, você pode morar com a avó, dona Ana. A casa dela fica bem pertinho da empresa.

Eu estava empolgado e ansioso para saber como seria trabalhar numa empresa. Em 1966, conseguir um emprego na faixa dos 16 anos, que beirava o alistamento militar, não era tarefa simples. Todos os dias, eu saía às 6h com a carteira profissional nas mãos (não eram tempos de currículo impresso em folha A4), encarava filas enormes, e, muitas vezes, nem era atendido. No campo dos registros, constavam os dois anos e meio da fazenda.

Se eu tiver a chance de ser entrevistado, posso mostrar que tudo o que aprendi no campo vai ser útil na empresa. – pensava.

Encontrar essa chance era o mais difícil. Numa manhã de segunda-feira, deixei a casa de meu tio às 6h e bati perna por Jundiaí até a hora do almoço. Mais uma vez, sem resultado. Cheguei à casa de meu tio exausto e disse um oi para a tia Floripes, outra figura terna.

— Alguma novidade, filho?

— Nada ainda, tia. Caminhei a manhã inteira, peguei filas e voltei para casa sem resultado!

— Vai dar tudo certo, não se preocupe. Vá almoçar, a comida ainda está quentinha.

Fazia um dia de muito calor em Jundiaí. Tirei a camisa. Lavei o rosto e as mãos, fiz o prato e sentei no sofá, bem na hora do programa esportivo. Numa dessas estranhas coincidências da vida, precisamente quando levava a segunda garfada à boca, meu pai resolveu fazer uma visita surpresa, para perguntar se eu já conseguira emprego. A cena é digna de ser imaginada:

O senhor Américo abre a porta e se depara com o filho marmanjão, em plena segunda-feira, sem camisa, com um pratão de comida sobre as mãos, assistindo à televisão. Ele não disse uma palavra sequer. Deu meia-volta, foi até uma frondosa árvore, arrancou o maior galho que conseguiu e voltou. Na porta, apontou o galho e veio andando, devagar, em minha direção:

— Vagabundo, é assim que você vai arrumar emprego aqui em Jundiaí?

Larguei o prato sobre o sofá, pulei a janela e corri tanto quanto as pernas aguentaram correr. De um pulo só, atravessei o portão principal e disparei para o mais longe que pude. Olhei para trás, me certifiquei de que ele não estava correndo atrás de mim, subi numa árvore e esperei. Ali, sentado, com fome, pensando que talvez não escaparia daquela nova surra, me recostei no galho e comecei a pensar na infância.

Lembrei-me de uma surra que levei em Votuporanga, nos tempos de criança, fruto da irresponsável calúnia de um colono que trabalhava conosco, que todos chamavam de Chico.

Os jogadores do Votuporanguense moravam numa república. Ficamos amigos, e, quando eu tinha algum tempo livre, ia ao campo. Eles costumavam me pedir para comprar refrigerantes, doces, pães, frutas e outras coisas. Um dos atletas com quem mais tinha amizade era o centroavante Marquete, que naquele dia me levou para assistir ao jogo. Com a energia inesgotável de sempre, depois que o jogo acabou, deixei o campo e voltei correndo para casa, pulando nas poças para espirrar água. Numa dessas poças, estava um casco de garrafa jogado por alguém, que resultou num grande corte na base do pé esquerdo. Cheguei à minha casa com o pé que jorrava sangue. Até hoje, dependendo de como posiciono a pisada, ainda sinto os efeitos desse corte. Chico, o colono caluniador, foi até o meu pai.

— Américo, teu filho chegou aí com o pé cortado porque foi varar o campo de futebol, para não pagar ingresso.

Foi uma surra com o fio do ferro de passar. Tentei correr, mas não consegui. O pé sangrava e o fio do ferro uivava antes de encostar na pele. Dona Abadia enfrentou meu pai e me tirou das mãos dele.

— Você está louco? O menino precisando de ponto nesse pé cortado e você batendo nele? Vamos tratar e depois a gente descobre o que aconteceu!

Alguma coisa no olhar de minha mãe foi suficiente para que ele não questionasse sua determinação. A surra foi interrompida.

O centroavante Marquete ficou sabendo e foi até minha mãe.

— É mentira, dona Abadia. Orlando é amigo de todos os atletas, compra coisas para eles e não precisaria pular a cerca para entrar. Ele é autorizado a entrar nos treinos quando quiser.

Minha mãe ficou tão enfurecida quanto na ocasião do gato e exigiu providências de meu pai.

— Manda esse Chico embora hoje. É um homem falso e sem-vergonha!

O senhor Américo era um homem justo. Pedir desculpas a um filho não estava em seus padrões de comportamento, mas reparar os erros era algo típico dele. E foi bater na porta do colono.

— Escute aqui, Chico. Você ficou louco? Como inventa uma coisa dessas? Por sua causa, bati no garoto que não merecia apanhar. Junte suas coisas e dê o fora daqui amanhã bem cedinho!

O barulho de um carro que chegava afastou minhas memórias e me trouxe ao presente. Levantei a cabeça para ver quem era. Preocupada, tia Floripes telefonara para o marido, que chegou rápido. Ele estava em horário de almoço e trabalhava perto dali. Lá, no topo da árvore, escondido entre os galhos, consegui escutar a bronca que o tio deu em meu pai.

— Você perdeu a cabeça, Américo? Como se propõe a bater no garoto antes de perguntar qualquer coisa? Ele tinha acabado de chegar, passou a manhã procurando emprego. Todo dia ele tem saído bem cedinho, junto comigo, para bater de porta em porta. Está difícil, pô. É um garoto de 16 anos, em fase de exército, que só tem a experiência da fazenda. E neste momento está por aí, assustado e com fome, porque você o ameaçou. Tenha dó, né?

Naquele dia, fiquei ainda mais fã do tio Luiz. Ele disse tudo que eu gostaria e não poderia dizer. Passaram-se alguns dias. Desta vez, tia Ana, também irmã de minha mãe, deu uma força. Ela trabalhava há muitos anos na casa de um gerente da Cica e deu ao seu patrão algo que naquele tempo valia ouro, uma referência.

— Sr. *Budy*, meu sobrinho é trabalhador e um menino sério. Fez tarefas na fazenda que muito homem barbado não dá conta de fazer. Tem como oferecer uma chance para ele na Cica?

É por isso que digo: nada em minha vida foi fácil, mas sempre contei com pessoas dispostas a estenderem as mãos. Participei do processo seletivo, e, depois de aprovado, feliz da vida, fui fazer o exame admissional. O nome do médico ainda vive em minha memória: Dr. Aledio.

A opção que ele preencheu no exame foi um balde de água fria em minhas adolescentes expectativas.
( ) **APTO**
(X) **INAPTO**
Nos detalhes da inaptidão, o Dr. Aledio alegou sopro no coração. Eu não entendi nada. Andava a cavalo, corria, jogava futebol, nadava, pescava etc. Outra vez, tio Luiz foi crucial e decidiu fazer um exame mais detalhado.

— Vamos fazer exames particulares, Orlando. Se não for nada grave, talvez o Dr. Aledio possa rever a posição e torná-lo apto a trabalhar na empresa.

O médico que fez o eletrocardiograma particular, Dr. Orandir, deu o parecer que resgatou minha felicidade:

Paciente considerado apto ao trabalho. Desde que assuma funções compatíveis com a idade, poderá exercê-las sem qualquer problema. Um pequeno sopro foi confirmado, mas poderá ter vida longa e normal, sem qualquer problema.

Corri para levar o resultado. Agora, precisava que o Dr. Aledio, a partir do parecer concedido pelo colega de profissão, revisse sua posição. Em vez dele, quando levei de volta, encontrei o enfermeiro da Cica, que estava há muitos anos na função e tinha certa influência. Ele pediu que deixasse o exame e aguardasse o contato. Na realidade, viria a saber, o enfermeiro nem entregara ao médico da Cica o exame feito de maneira particular.

A roda do tempo girou por alguns dias e nada de eu ser chamado. Tia Ana resolveu perguntar ao Sr. *Budy*, que investigou no sistema e descobriu só a informação desatualizada de que o candidato fora considerado, dias atrás, inapto.

O incansável tio Luiz me pegou pelo braço e foi conversar com o doutor Aledio. No entanto, teve que passar pelo enfermeiro, que foi inflexível:

— O garoto foi considerado inapto pelo médico da Cica. Então, está reprovado e fim de papo. Exame feito por aí não adianta nada!

Olhei para o tio Luiz, seu rosto estava avermelhado de indignação. E o meu eterno herói enfrentou o cara.

— Você tem diploma de medicina? Fizemos um exame que detalha o sopro. Tudo que você precisa é mostrar o resultado ao médico da Cica e ficar submetido ao que ele disser. E aí, como vai ser?

O enfermeiro não teve alternativa. Passou o exame ao Dr. Aledio e fui considerado apto. Ingressei na empresa a contragosto do enfermeiro, que, depois disso, fez de tudo para me prejudicar e nunca conseguiu.

Na fazenda, mesmo que fosse enorme, eu estava com o espaço evolutivo limitado. Acabara de encontrar ali o necessário espaço corporativo a todos que nasceram para a missão de liderar. E não desperdiçaria...

Capítulo 10

Como construir uma carreira sólida e alcançar os degraus executivos

Capítulo 10

Aos 16 anos, tinha experimentado a vida de boia-fria, a venda de frango, o trabalho como charreteiro-*boy*, os efeitos da enxada, a direção de maquinário pesado, como tratores e caminhões, e a liderança de pessoas difíceis. Com tudo isso, o trabalho como guardinha da Cica, abre-alas de minha vida como executivo, foi relativamente fácil.

A função exigia aquilo que eu fazia por natureza: ser gentil e acompanhar as pessoas até as seções. Enquanto fazia isso, reparava muita coisa jogada e desorganizada. Precisava de mais espaço e o solicitei ao Jair *Menegassi*, uma pessoa muito querida.

— Jair, se surgir alguma oportunidade na fábrica, eu gostaria de me candidatar.

Poucos meses depois, fui promovido a auxiliar de conserveiro. Minha função estava resumida a encaixotar as latinhas de molho que vinham das grelhas. O problema é que por lei eu não poderia trabalhar mais do que oito horas/dia, e, nessa ocasião, precisava de horas extras para ajudar a minha mãe e os meus irmãos, pois o Sr. Américo separara dela e fora viver em Campinas.

Mais uma vez, o incansável tio Luiz nos ajudou e permitiu que a minha família morasse, sem cobrar aluguel, numa casa ao fundo da sua. Ajudou-me a construir belos móveis rústicos, a pintar e a fazer tudo o que fosse necessário para acomodar a nossa família com conforto.

Naquela época, não havia refeitórios nas indústrias. Percebendo a chance de fazer um extra nas horas vagas, eu coletava a marmita das pessoas que moravam no entorno da fábrica e a levava, ainda quentinha, para entregar no exato momento de sua refeição. Por mês, recebia um dinheirinho para prestar esse expediente diário.

Queria trabalhar ainda um pouco mais, para preencher as agendas de sábado e de domingo que estavam livres. Foi aí que me reencontrei com os frangos. Um gentil português me levou para trabalhar em sua casa de frangos. No sábado, ele me pagava algum. No domingo, permutávamos o meu trabalho por um frango que eu levava, todo orgulhoso, para casa.

De algum jeito que nunca consegui entender, Dona Abadia assava aquele frango com batata e fazia com que ele rendesse, de tal maneira que todos comiam e repetiam. Devagarzinho, ela ia regando as batatas com o caldo do frango, que acabavam douradas, crocantes por fora e macias por dentro.

No primeiro sábado de outubro, tantos anos depois desse meu ingresso na empresa, ainda marcamos um encontro anual dos amigos da Cica, para relembrar as coisas que fazíamos. Eu assumia uma carga de horas extras jamais vista. O aceitável beirava 240 horas mensais. Eu fazia 260. Não raro, entrava na empresa às 6h e a deixava 24 horas depois. Na saída, dormia um pouco, me alimentava e estava de volta às 15h. Trabalhei muito e cheguei a ficar dez anos sem férias. A frase que usava com os líderes era repetida:

— Se precisar, pode contar comigo!

Vez ou outra, alguém questionava.

— Você ficou até mais tarde na semana passada. Não prefere descansar nesta?

— Minha mãe sempre disse que trabalhar não mata ninguém. Vamos lá!

E não me cansava. Curioso e ansioso por crescimento, fui aprendendo cada tarefa, fosse um apontamento operacional ou as estratégias para aperfeiçoar os setores. Da máquina de grampear caixa ao apontamento, sabia fazer quase todas as funções. Com o salário de conserveiro (já não era mais auxiliar), mais horas e mais trabalhos extras, acumulava uma renda mensal que permitia até algumas regalias e supérfluos, como comprar uma televisão. Assim, foi chegando a hora de agradecer pela generosidade dos tios Luiz e Floripes. Os irmãos Osmar, Terezinha, Maria Aparecida e Ana de Lourdes; além de minha mãe e eu, precisavam seguir, não porque os tios quisessem que fôssemos, mas porque éramos gratos e devíamos dar um pouco mais de espaço e de privacidade a todos, principalmente para as meninas que já estavam crescidas.

Alugamos uma casa que pertencia ao Sr. Helio, aquele mesmo que me empregava na granja e não se cansava de me ajudar, assim como o próprio tio Luiz, que ainda foi fiador do nosso aluguel.

Por essas e outras, digo aos mais jovens da família e aos membros das equipes que liderei e ainda lidero:

— Você faz o mundo gostar de você. Há quem esteja disposto a reclamar do emprego todo dia, mas será que essa pessoa tem mesmo algo a reclamar ou procura defeito? E ainda que não esteja feliz, o que a impede de procurar outra ocupação?

O que vi, aprendi e recomendo para a vida

Fazer sucesso requer atitude de patrão. Precisamos gerar lucro aos que nos empregam.

— Ah, ninguém observa os meus esforços!

Ainda que a pessoa tente usar esse argumento, reitero que não desista. O líder pode não observar hoje, mas amanhã ele ou alguém enxergará. Portanto, perseverança é a chave e alguém vai ver. O que é errado salta aos olhos de qualquer um. O que é certo, pode demorar um pouquinho mais. É como aquele instante em que deixamos um lugar iluminado e entramos num cômodo um pouco mais escuro: leva um tempinho para que os olhos se acostumem. Com isso, quero dizer que numa empresa onde todos sempre fizeram tudo errado, quando surge alguém disposto ao enfrentamento e faz o certo, nem sempre os demais perceberão de imediato.

Depois dos dezoito anos, ascender na carreira passou a ser um forte desejo. Um dia, conversava com o meu líder Natalino Medeiros, apelido *Pixinim*.

— Orlando, faz uns dez anos que eu não tiro férias, e, por mais um ano, acho que vou precisar vender minhas férias outra vez. Confesso que "tô" precisando descansar.

— *Pixinim*, eu posso substituir o senhor, se quiser.

—- Ah, Orlando. Você é um rapaz esforçado e sabe fazer muita coisa. Conhecer tudo que acontece na seção é outra história...

— Tem uns dois setores que eu ainda não aprendi e fico observando só de longe. Se o senhor me ensinar, eu dou conta.

No olhar dele, constatei a mesma expressão de Lindolfo, quando anos antes eu dissera que poderia vender os seus frangos.

Pixinim circulou comigo, perguntou máquina a máquina, apontamento a apontamento e fui confirmando como se fazia. Eu o desafiei, no bom sentido.

— A partir de hoje, antes de fechar a máquina, me chame e farei o apontamento de cada uma. Então, o senhor poderá confirmar se estou pronto para cobrir as suas férias.

Ele aceitou e assim foi feito. Todos os dias, eu fazia o apontamento das máquinas e tudo conferia.

— Não é que você aprendeu mesmo?

Às vésperas do seu momento de sair em férias, ele me levou até o gerente, que no futuro também seria meu amigo.

— *Pessim*, "tô" pronto para tirar férias.

— De novo essa história, *Pixinim*? Eu adoraria te ajudar nisso, mas não tem quem fique em seu lugar.

Ele apontou para mim e disse:

— Agora tem!

— O que é isso? Quer deixar o setor nas mãos do menino? Isso daria problema, *Pixinim*.

— Pessim, o menino é bom para caramba. Ele sabe tudo do setor!

— Reconheço que Orlando tem talento, mas tem gente com vinte anos de empresa que não resolve o seu serviço!

Pixinim sacou os últimos apontamentos das máquinas, todos feitos por mim, sem qualquer milimétrica diferença e apresentou ao chefe. Ele leu tudo e foi franco.

— Ainda me sinto inseguro com isso. Deixe-me bater um papo com ele.

E me levou até o café. Conversamos bastante sobre toda a responsabilidade que me confiavam na fazenda, falei sobre a enxada que me arrancou o couro, os enxertos, os caminhões, os tratores e a liderança. Expliquei que fui formado por meu pai, um grande e carismático líder, tive acesso ao conhecimento dos doutores italianos proprietários da fazenda e aprendi a liderar colono que carregava até crime nas costas.

Saímos de lá e fomos até *Pixinim*, que estava de costas, compenetrado no serviço, e se virou para nos atender.

— *Pixinim*, tive uma longa conversa com o Orlando. O menino é bom mesmo. Pode tirar as suas férias. Por precaução, vou te pedir só um favor. Na primeira semana, evite viajar. Fique por perto. Vai saber...

Convencer os líderes imediato e mediato foi fácil. Convencer 80 pessoas da equipe e informar que seriam liderados por um garoto de dezoito anos, nem tanto. Por necessidade, já que sustentava a família sozinho pela segunda vez, eu fazia mais horas extras do que qualquer colaborador da empresa e muita gente associa o praticante de hora extra ao puxa-saco.

Pixinim me levou até a seção para comunicar a substituição. Houve um pequeno tumulto e poucos concordaram.

— Onde já se viu um moleque chefe da gente?

Em meio ao coro de vozes que protestavam, um senhor que estava há dezoito anos na empresa, cujo nome preservaremos e será conhecido por nós por meio do curioso sobrenome Véidecasa, por sinal muito respeitado pelos colegas, pediu a palavra e todos calaram para ouvi-lo.

— Vocês vão me desculpar. Não tenho nada contra o Orlando, mas não concordo com isso!

Um pensamento me ocorreu nessa hora.

Eu lidei com o Otavio, colono com fama de assassino. Isso aqui vai ser fichinha!

Pedi a palavra.

— Sr. Véidecasa, vamos fazer assim: falta um mês para as férias do *Pixinim*. Até lá, o senhor aprende tudo e o substitui. Como o senhor está na casa há dezoito anos, imagino que vai ser fácil, pois eu aprendi todo o processo em dois anos.

Um silêncio geral tomou conta da seção, até que ele respondeu.

Com o tom de voz bem mais baixo, Sr. Véidecasa resmungou.

— Aí também não. Tenho minhas responsabilidades e não sou pago para isso!

Aproveitei para fechar a discussão.

— Pessoal, então pensem bem. Mais cedo ou mais tarde, *Pixinim* vai ter que sair para descansar, e, se vier alguém de fora, talvez seja bem mais complicado. Eu sou amigo de vocês. Não vou fazer nada para prejudicar ninguém. Só vou executar o que deve ser executado. Basta fazer a parte de vocês. Não estou querendo tomar o lugar de *Pixinim*. Só quero dar uma força ao setor até que ele volte e também preciso aprender um pouco mais. Não tem nada de errado nisso. Ou tem?

Todos abaixaram a crista. Em tese, concordaram, e, uma semana adiante, *Pixinim* teve, depois de muito tempo, a chance de vivenciar férias com a família. Na prática, dois operadores começaram a boicotar os números e alteravam os contadores, para que o meu apontamento final não batesse. Defensor obstinado do enfrentamento pelo o que é certo, chamei ambos para uma conversa.

— Viu; eu sei o que vocês estão fazendo. Posso chamar o *Pessim*, provar que os números estão manipulados e vocês se acertam com ele. Ou posso voltar em trinta minutos e encontrar a contagem zerada. Deixo a decisão para vocês!

Saí e deixei os dois refletindo. Nos trinta minutos seguintes, o "milagre" da retidão aconteceu e tudo ficou zerado.

Do passado ao presente, percebo pessoas indispostas ao enfrentamento do que é errado ou prejudicial ao negócio, com argumentos frágeis. Até hoje, quando preciso demitir um líder que atua em detrimento do negócio, reúno a equipe e questiono por que estavam tão próximos desse líder e não fizeram nada. É aí que me deparo com a fragilidade dos motivos.

- Ele era meu amigo.
- Ela já estava aqui há bastante tempo.
- Sempre foi feito assim.
- Ele precisava do emprego.

Não adianta só culpar os políticos. País algum tem futuro sem cidadãos dotados da coragem de enfrentar o que é errado. Fiquei dois anos e meio na fazenda, 23 na Cica e 28 como presidente da Coopercica sem jamais ter sido demitido por enfrentar o ilícito. Ao contrário, o enfrentamento sempre foi fator de crescimento em minha carreira como executivo.

Alguns dos primeiros "inimigos" que tentaram me boicotar, no futuro mudaram, cresceram comigo e foram promovidos por mim, depois que passei a assumir as funções de liderança. Outros pretensos inimigos do passado viraram amigos e comem o frango com quiabo de dona Abadia, em minha chácara, nos fins de semana. Isso prova que os colaboradores dispostos à ascensão aceitam mudanças, desde que exista alguém para dizer uma frase de três palavras que a gente aprende até mesmo na primeira idade, mas tende a esquecer, por razões diferentes:

— Isso está errado!

Uma quinzena das férias acabou. *Pixinim* telefonou para o gerente, *Pessim*, que me contou como foi o diálogo.

— Ninguém me ligou até hoje, *Pessim*. Resolvi dar uma ligada só para confirmar que está tudo certo.

— Fica tranquilo, *Pixinim*. O menino está representando você à altura. Curta suas férias!

Trinta dias depois, *Pixinim* voltou, grato pela rara oportunidade. Trouxe-me até uma caneta especial como presente. De minha parte, também fiquei grato.

Aquela chance que eu mesmo procurei abriu o caminho para a carreira executiva; lição que vou validar como importantíssima:

De um lado, vejo um grupo reclamando que não tem oportunidade. Do outro, um segundo grupo afirma que é preciso criar as oportunidades.

O segundo está certo e por isso decidi escrever a obra. Senti que faltava mostrar aos semelhantes "como criar oportunidades". Eis aí um dos exemplos. E vamos em frente...

A você que procura inspiração, que deseja ascender na carreira e que se dispõe ao enfrentamento, afirmo que "outro livro" começa a partir de agora.

Capítulo 11

Toda empresa tem um Peter Parker que pode salvar o líder

Capítulo 11

Tornei-me o coringa. Fui treinado para substituir e liderar a equipe daqueles que precisavam de uma ausência para as merecidas férias.

Um dia, encontrei a versão operária do colono Otavio (aquele que tinha fama de assassino). A semelhança não se dava exatamente por essa razão. Ambos eram muito parecidos em outro aspecto: se achavam insubstituíveis. Para proteger sua imagem, será batizado com o nome fictício de *Tei Moso Wang*. Deixo para os leitores a tarefa de decidir, pela história narrada, se o nome do personagem é por conta do adjetivo "teimoso" ou por sua ascendência asiática.

O gerente de *Tei Moso Wang* me procurou.

— Orlando, eu queria muito que o *Tei Moso* descansasse um pouco. Vou abrir o jogo contigo. Ele diz que o seu trabalho é muito difícil. Sempre que sai para tirar férias, ensina de qualquer jeito, e, em poucos dias, é chamado a retornar e apagar algum incêndio gerado pelo substituto que não foi treinado adequadamente. Quem sabe com o seu jeito sutil, você consegue inverter essa situação?

Quando fomos apresentados, ele me olhou de uma maneira que na hora me fez lembrar de Otavio com a foice nas mãos, depois que deixara rabo no trabalho.

— Esse menino aí vai assumir o meu lugar? Ele não sabe nada do meu setor.

Seu gerente procurou amenizar a situação.

— Ele vai ficar trinta dias com você, aprendendo tudo. Orlando tem experiência, já substituiu outros grandes líderes da fábrica.

Tei Moso deu de ombros e respondeu.

— Em outros lugares, pode até ser. Quero ver é aprender o que eu faço!

Nos próximos dias, assim que eu chegava perto para perguntar algo, *Tei Moso Wang* dava as costas, sacava o telefone e fingia que estava ligando ou atendendo alguém. Ou saía com o braço levantado, chamando um e outro, disparando ordens desnecessárias.

Passei um dia inteiro sem fazer nada ou aprender nada. Repeti a prece que usava ao me deparar com uma situação difícil (não importa a fé que o líder tenha, mas sem fé alguma, reitero que é bem mais difícil).

Senhor, me fortaleça. Eu vou dar conta e não vou sair daqui derrotado!

Foi um dia que definiria como "ocioso e não opcional". No entanto, passei todas aquelas horas mentalizando a fé e pedindo ajuda divinal. Ao fim do dia, Peter Parker de Souza passou por mim. Outra vez, deixo para os leitores julgarem se o nome do personagem é uma alusão ao papel heroico que Peter teve em minha vida ou se foi excentricidade de seu pai.

Era um mecânico gentil que tinha se tornado um bom amigo. Ele me viu cabisbaixo e perguntou.

— Parece meio chateado, Orlando. O que houve?

Contei tudo e Peter Parker ficou entusiasmado.

— Tinha que ser o *Tei Moso*. É um cara muito difícil. Fique frio, Orlando. Vou te ajudar. Conheço quase todas as máquinas e tenho amigos que sabem tudo do maquinário que eu não domino. Vou pedir ajuda a eles. Daqui a trinta dias, você vai estar pronto para assumir. A que horas você entra na empresa?

— Eu marco o cartão às 6h.

— Então, a partir de amanhã você vai entrar todo dia às 5h30min. Na primeira semana, você vai passar esses trinta minutos comigo. Nas outras três semanas, com outros bons mecânicos. Em trinta dias, você vai dominar cada máquina!

Peter Parker teceu suas teias e costurou tudo. Fiz amizades e todos compraram a ideia de me ajudar, ansiosos por quebrarem a superioridade e a arrogância de *Tei Moso*. Vencido pelo cansaço e pela inutilidade de procurá-lo para pedir informações, eu passava o dia circulando pela seção, falando com um e outro. Quando encontrava *Tei Moso Wang*, ele disparava sua frase padrão.

— Não atrapalhe o operador, hein, Orlando?

Eu desconversava, dizia que estava só dando uma olhadinha e aproveitava para fazer outra pergunta ao próprio *Tei Moso*. Suas respostas evasivas eram bem parecidas.

— Outra hora a gente vê isso.

— Agora não dá, Orlando. Tenho duas máquinas esperando e só eu sei arrumar.

— Vai anotando as suas dúvidas no papel e uma hora eu respondo tudo de uma vez.

Uma semana antes de suas férias, eu estava pronto, mas *Tei Moso* nem imaginava. Ele me procurou, com um sorriso vencedor estampado no rosto e a voz cheia de sarcasmo.

O que vi, aprendi e recomendo para a vida

— É, Orlando. Acho que não vai dar certo. Até hoje você não aprendeu nada.

Foi a minha vez de ser sarcástico.

— Corrigindo: o senhor não me ensinou nada, mas eu aprendi tudo.

Fizemos uma visita a cada máquina e fui provando, uma a uma, que conhecia o seu funcionamento. *Tei Moso* não teve alternativa e saiu para gozar de suas férias. Diferentemente da primeira vez, que precisei convencer a equipe a me aceitar como líder temporário, dessa vez contava com o apoio unânime e irrestrito.

No segundo dia de férias, *Tei Moso* me ligou, ansioso para que eu narrasse a lista de problemas. Estava tudo certo. Não convencido, pediu para conversar com o gerente e recebeu a mesma informação. E repetiu essa sequência de telefonemas quase diários, sempre esperando por um problema qualquer que justificasse o fim precoce de suas férias.

A experiência é propícia para nos mostrar, além da óbvia percepção de que ninguém é insubstituível, outras três lições válidas para os líderes, empreendedores, executivos e todos que pretendam alcançar melhores posições na carreira.

1. Um dia improdutivo, como *Tei Moso* me obrigou a passar, pode ser transformado num dia de mentalização e de fé. Caso você não siga nenhuma religião e se declare cético ou ateu, saiba que tem o meu respeito por sua posição, mas sugiro que volte, nesse caso, a mentalização para a fé íntima, aquela que tem a própria capacidade de melhorar as coisas. Em ambos os casos, a solução virá;
2. Até hoje, *Tei Moso* deve pensar que sou um gênio. Ele nunca soube que a sua equipe contribuiu para que um líder de fora assumisse. Ou

seja, quando encontrar um antagonista, você não precisa provar para ele que todas as pessoas estão do seu lado. Às vezes, as melhores estratégias são o silêncio e a surpresa;

3. Nas ruas do país inteiro, encontraremos líderes que usavam as seguintes afirmações:
— Só eu sei fazer!
— Sem mim, a empresa vai parar!
— Aqui só tem incompetente!
— Ninguém daria conta!

E sabe por que usei a expressão "usavam"?
Porque esses líderes que encontraremos nas ruas estão desempregados.

Isso mostra que às vezes o enfrentamento que tenho defendido deve ser íntimo. Ninguém está isento de agir como *Tei Moso Wang*. A rotina, a centralização e o medo de perder a vaga podem levar a pessoa a caminhos que prejudicam a equipe, a empresa e que colocam em risco o seu emprego.

Crescer sem delegar e ensinar o que sabe aos semelhantes é impossível. Já reparou quantas raízes tem uma árvore? Cada raiz corrobora a sua existência. Na carreira executiva e nos negócios em geral, a conta que se faz é bem parecida. Líder de pensamento exclusivista que se acha insubstituível terá raiz e galhos mortos, ou seja, a carreira e o emprego perdidos.

Como todo herói, Peter Parker me salvou das más intenções de *Tei Moso Wang*. Se você procurar bem, decerto vai encontrar muitos heróis em sua empresa. O segredo é ser uma pessoa positiva de atitude proativa. Do contrário, se focar a atenção somente no que dá errado, atrairá e terá olhos para o *Tei Moso* que também existe às dezenas em toda organização e tenta, em vão, enraizar-se.

Capítulo 12

Para vencer, estender a mão e ajudar é uma etapa

Capítulo 12

Incontáveis foram as situações em que fui ajudado por uma ou por mais pessoas e sou grato a cada uma delas. Nos degraus mais difíceis de galgar, às vias de desequilibrar, *Peter Parker*, Lindolfo, tio Luiz e tantos outros heróis surgiam.

De minha parte, procurei retribuir ao máximo e ajudei tantas pessoas quanto consegui. Mais do que só uma discussão de mérito sobre a matéria altruísta, ajudar no corporativo deve ser parte da natureza de quem lidera. Muito colaborador bom joga a toalha, cansado de esperar uma chance, bem como muito colaborador antigo desiste, se arrastando pela empresa, seguindo a lei do "tanto faz".

O próximo personagem a inspirá-los tem o nome de João Apedrejado da Silva. Fica a critério dos leitores decidir se as circunstâncias fazem jus ao nome. Para facilitar, vamos chamá-lo simplesmente de Apedrejado.

Enquanto construía a carreira, passei pelo setor no

qual Apedrejado era líder há muitos anos. Homem justo e bondoso, estava na empresa há bastante tempo. Desmotivado e resignado com tudo o que lhe faziam, ele pedia ao céu para que a empresa o desligasse.

Logo que cheguei ao setor, percebi que muitos se aproveitavam dessa resignação de Apedrejado. Cientes de que ele não tinha motivação para conferir tudo ao pé da letra, deitavam e rolavam. Fui incumbido de colocar o setor em ordem e descobri que o amigo Apedrejado perdera o controle de há muito. E resolvi questionar.

— Amigo, o que estão fazendo não é justo. Os relatórios mostram que alguns setores estão culpando esse setor pela falta que eles cometeram.

— Ah, eu não ligo. Aliás, bom seria se a empresa pudesse me desligar logo!

— E se eu quiser mudar isso tudo, você me ensina como fazer o que é certo, para que eu possa te defender das acusações injustas?

— Não só te ajudo. Espero que aprenda tudo e que assuma essa bagunça, assim eu poderia me aposentar. Não vejo a hora...

Apedrejado me ensinou. Comecei a colocar o setor em ordem, enfrentei uma série de pessoas e tudo passou a funcionar. As diferenças começaram a zerar, os erros creditados a Apedrejado passaram a encontrar o verdadeiro dono.

Certa vez, fomos convocados para uma reunião. A pauta estava resumida a discutir sobre uma peça cara que desaparecera. As pessoas do setor vizinho tentaram colocar nas costas de Apedrejado o prejuízo que a empresa amargara por conta desse sumiço. O líder do setor vizinho apontou as pedras e jogou.

— Como sempre, o setor desorganizado de Apedrejado não sabe dizer qual é o paradeiro da peça. Vamos ter que contabilizar logo como prejuízo e pronto!

Eu intervim de imediato.

— O que você diz não procede. Rastreei os materiais e descobri que uma maquiagem tem sido feita para culpar o departamento liderado por Apedrejado. A partir de hoje, faço parte do setor, estou ajudando o Apedrejado e isso acabou. Tenho o registro de tudo e posso provar.

— O quê? Você não passa de um moleque e... – antes que esse líder, verdadeiro responsável pelo prejuízo, continuasse, o diretor o interpelou.

— Opa, respeite o colaborador. Orlando já mostrou que sabe o que faz e fala em vários setores por onde passou. Quero comprovação e rastreabilidade de tudo isso.

Chamamos o mecânico desse líder, que depôs em favor de tudo o que eu afirmava:

— Eu retirei a peça da máquina nova e levei para o nosso setor. Achei que não teria problema, já que Apedrejado nunca reclamou dessas coisas.

A reunião estava encerrada e as pedras pararam de ser endereçadas a Apedrejado, que se tornou um amigo pessoal e foi até padrinho de meu casamento. Mais tarde, Apedrejado decidiu se aposentar, fez um acordo com a empresa e assumi o setor, para desespero de quem era contrário ao que é justo. Acabaram-se os problemas e os prejuízos outrora gerados deram lugar ao lucro.

Ajudei o amigo Apedrejado, que se desligou da empresa com a reputação reconstruída, e acabei com a farra de culpá-lo por tudo. Outra vez, o enfrentamento foi crucial.

O setor, antes considerado problemático e operacional, passara a ser estratégico. *Max Gehringer*, que depois seria famoso, na época era colaborador da empresa e responsável pelo planejamento produtivo. O setor que assumi alimentava o setor dele com informação real e confiável.

O que vi, aprendi e recomendo para a vida

O menininho da produção, como eu era conhecido, deixava o macacão da área fabril para assumir o cargo de gerência e liderar 150 pessoas. Como a vida dá voltas interessantíssimas, *Pessim*, aquele que lá atrás permitiu que *Pixinim* tirasse férias e deixasse o setor aos meus cuidados, era o meu novo líder.

Quanto ao meu pai, volto a dizer que a vida dá voltas muito curiosas. Ele ficou sumido por um bom tempo. Nunca guardei mágoa, fosse por conta dos eventos de infância ou por ele ter nos deixado. Sempre procurei saber onde e como ele estava. Um dia, fiquei sabendo que ele tinha um bar em Campinas e fui até lá. Conversamos, e, no fim, deixei o meu telefone, que ele anotou de uma maneira, digamos, inusitada:

Se precisar falar com o meu filho Orlando: 4152...

E assim era o meu pai. Em 1996, eu estava em melhores condições financeiras e fui resgatá-lo. Fiquei sabendo que ele trabalhava num hotel, fazendo manutenção geral, se alimentando de sobras do dia anterior e fiz uma proposta.

— Pai, o que acha de comprarmos um sítio? Você poderia administrar para mim.

Na verdade, eu queria incluí-lo em algo, ajudá-lo de alguma forma e as lágrimas que afloram enquanto esse trecho é narrado talvez sirvam para me ajudar a entender que eu desejava retribuir as boas lições (sim, pois é compreensível que o leitor se lembre das surras, mas eu me recordo de que ele ajudou a formar, do seu jeito meio contraditório e estranho, um homem digno).

Encontrei um pedaço de chão que cabia em meu orçamento e trouxe muita felicidade. Com pouco recurso e com muita dificuldade, juntava amigos e fazíamos festas e confraternizações. Eu reinvestia no que ele colhia. Plantávamos e vendíamos milho. Se comprávamos um jumento, em seguida trazíamos uma fêmea para a cruza, que depois resultava na venda dos burrinhos. Matávamos uma leitoa e juntávamos uma turma grande. Não havia luxo, mas sobrava proximidade e amizade verdadeiras.

Depois de um tempo, vendi esse e comprei outro maior. Meu pai veio junto para administrar a nova propriedade, incansavelmente cuidadoso com cada detalhe. Até os últimos anos de sua vida, esteve ao meu lado, zelando pelos pedaços de chão que adquiríamos. Ele estava feliz por fazer algo que o mantinha vibrante e ativo. Eu estava feliz por ajudá-lo a fazer coisas das quais gostava.

Até que o Mal de *Alzheimer* chegou...

Senhor Américo, que chegara aos 82 anos e nunca ficara doente, sucumbiu em velocidade recorde. Diagnosticado com a doença, viveu conosco por mais de um ano, até que precisamos colocá-lo numa clínica especializada, para a própria segurança dele, que acordava, abria a porta e saía dizendo, por exemplo, que o caminhão da Guaxinduva estava quebrado e que precisava arrumá-lo ou que os empregados de seu hotel tinham faltado.

— Viu; estão tratando bem o senhor? – perguntava eu, durante a visita.

— Essas meninas bonitas me servem comida na boca e estão sempre com um sorriso no rosto. O que mais poderia querer?

Uma das enfermeiras, moça muito bondosa, ficou amiga dele. Numa visita, ela me disse que foi aplicar uma injeção no vizinho de leito. Meu pai escutou a gritaria do senhor que não queria a injeção e gritou:

— Manda duas injeções para mim e deixa esse "véio" chorão sem remédio. Não gosto de gente mole!

Em outro evento, a enfermeira me disse que quando o senhor Américo estava mais consciente, às vezes fazia uma "exigência".

O que vi, aprendi e recomendo para a vida

— Ô moça, vá dar uma arrumadinha nestes cabelos bagunçados e volte depois. Eu espero!

Quando o meu pai partiu, essa enfermeira pediu uma recordação: o chapéu Panamá que o senhor Américo usava todo dia. Comovido, dei-lhe o chapéu.

Duas lições importantes para a vida de qualquer pessoa que deseja alcançar uma carreira executiva se fazem valer neste capítulo.

1. Toda empresa tem um Apedrejado (é comum que tenha vários). Quem pretende alcançar uma cadeira presidencial deve ajudar essa pessoa;

2. Ainda que a família tenha suas razões para evitar a pessoa que te ajudou a vir ao mundo, ajude-a até o fim dos seus dias, tantas quantas vezes se fizerem necessárias.

Eu sei que existem dez segredos disso e daquilo disponíveis em muitos lugares e boa parte desses segredos faz sentido. Entretanto, peço que considere esses dois caminhos simples e profundos. Posso garantir que o resultado virá.

E para concluir, faço uma pequena ressalva. Ajudei o amigo Apedrejado porque ele carecia de ajuda e eu queria aprender mais.

Assumir o setor dele, após a saída, foi um benefício, e não um plano. Prestei ajuda ao meu pai por amor e por solidariedade, em vez do sentimento de obrigação.

Isso significa que nenhuma ajuda poderá ser chamada de verdadeira se duas palavras estiverem por trás desse amparo: interesse e obrigatoriedade.

Pratique a ajuda que vem do coração e fique distante da ajuda protocolar, que só faz atrapalhar a quem oferece e a quem recebe.

Capítulo 13

O que você seria capaz de fazer pela empresa?

Capítulo 13

Conquistar um cargo de confiança e de liderança é a busca da massa. Basta perguntar aos universitários e isso será confirmado; a maioria que ingressa no corporativo persegue esse sonho.

Um dos caminhos que devo validar para o alcance da ascensão corporativa é conhecer a empresa que lhe emprega.

Tive a felicidade de trabalhar numa empresa pioneira e visionária que exportava pimenta brasileira para os continentes num período em que praticamente nenhum concorrente ousava fazê-lo. Por isso, nos critérios de autocrítica e de crítica alheia, sempre fui exigente com tudo o que fazia. Procurava os líderes e perguntava se eu estava a contento. Procurava os colaboradores por mim liderados, indagava se estavam satisfeitos e onde ou como eu poderia melhorar.

Naqueles dias, no Brasil, quase ninguém sequer cogitava a expressão *feedback*. Eu batia à porta de pares e de líderes para buscar esse retorno. Diferentemente disso, tenho visto que a moda corporativa é dar *feedback*, como se fosse aquele presente embalado numa caixa dourada.

É claro que um dos papéis da liderança é posicionar os colaboradores. Mas, grandes projetos devem contar com pessoas que, antes de esperar, saem para explorar, testar e descobrir se aquilo que executam é o melhor que pode ser executado.

Com o meu pai, na fazenda, aprendi um bocado sobre as queimadas, comuns em certas épocas do ano. O fogo da queimada, motivado pelo vento e pela força das chamas, alcança mais ou menos dez metros logo de início e lambe a copa das árvores. Ao perceber que as labaredas vinham em nossa direção, mais ou menos a um quilômetro de distância, colocávamos o fogo de encontro. Com a carreira direcionada ao mundo dos negócios, importei esse raciocínio e sugiro que você faça o mesmo.

Se a adversidade vem ao nosso encontro, com dia e hora marcados, por que vamos esperar até a última hora? Que se faça o fogo de encontro e que se vá enfrentar o problema antes que as labaredas da crise transformem em cinzas tudo o que se conquistou.

— Vamos fazer um aceiro[7] aqui, onde nada pode ser queimado, e vamos meter fogo de encontro, Orlando. As chamas vão sair daqui bem baixinhas, e, quando alcançarem o incêndio, estaremos protegidos em nosso Oásis.

A sabedoria genuína de meu pai não dava margem para erro. Fazíamos o aceiro para defender e o fogo de encontro para atacar.

O bom e velho enfrentamento, como se pode ver,

---

7 Aceiro - aparagem de um terreno em volta de plantações ou de propriedades, para impedir a propagação de incêndio.

ora pede por uma necessidade de ação física, ora emocional. E há outra ação relevante, a do desabafo; dizer a verdade, se tiver chance, a quem não age com decência e com respeito.

O cara da caminhonete, que na infância me ofereceu carona, acelerou e me fez comer poeira, eu descobriria, tinha "irmão gêmeo" no corporativo. E talvez cada um de nós conheça muitos gêmeos dessa mesma figura.

Assumi o setor, e, aos poucos, colocava tudo em ordem. Antes que tivesse tempo de reparar o estoque numa área em que o movimento de entrada e de saída eram constantes, um líder da empresa, engenheiro renomado, me pediu para que eu fizesse a contagem de tudo. Chamaremos esse engenheiro de Manda-Chuva e ficará para o leitor, outra vez, a decisão. Teria sido nomeado assim em homenagem ao personagem *Hanna Barbera* ou suas ações renderam o apelido?

— Orlando, preciso desse número até segunda-feira, às 8h30min, sobre a minha mesa. Quero o inventário detalhado, que mencione até mesmo as saídas durante o fim de semana.

— Sr. Manda-chuva, eu não tenho pessoal para oferecer um número desses em tempo tão recorde. Nunca foi feita uma contagem dessa proporção.

— Eu não perguntei. É uma ordem. Dá para me ouvir?

Manda-chuva virou as costas e me deixou falando sozinho. Olhei para a pilha que beirava o teto e confesso que chorei. Nessas circunstâncias, experimento uma momentânea depressão que não ultrapassa dez minutos, até renascer, vir com tudo e resolver. Conectei-me e não perdi a fé. Caminhava pela fábrica, cabisbaixo, diferentemente do cara que brincava com todos, de sorriso fácil. Um dos chefes de produção me abordou e perguntou o que estava acontecendo. Abri o jogo. Ele me acompanhou, viu o tamanho do desafio que me fora incumbido, xingou baixinho e pediu para que o acompanhasse até o seu setor. Chegando lá, passou a mão no telefone e ligou para o chefe de outra seção.

— Sacanearam o Orlandinho. Ele acabou de assumir o setor e pediram para que contasse cada peça daquele estoque que ninguém conta há décadas. O pior é que ele deve entregar o relatório da contagem na segunda pela manhã. Você pode enviar quantos homens para ajudar durante o fim de semana?

Um movimento começou. Dez homens do setor A vieram ajudar, vinte do setor B e quinze do setor C.

Dentre a tarde daquela sexta-feira, o expediente do sábado e a metade do domingo, finalizamos a tarefa. Fui para a casa feliz da vida. Depois de tanta tensão, o problema estava resolvido. Na segunda-feira, quando Manda-Chuva chegou, eu estava na porta da sala dele, com um calhamaço de papéis.

— Aqui está o relatório com os cálculos detalhados. Tive ajuda dos amigos de vários setores e conseguimos!

— Do que está falando, Orlando?

— Ué, o senhor não me obrigou a contar cada peça que estava no estoque rotativo?

— Ah, agora me lembrei. Deixe o relatório em cima da minha mesa. Estou indo para o Rio de Janeiro agora e devo voltar na quarta ou na quinta-feira. Aí, vou dar uma olhada, e, qualquer coisa, mando te chamar.

Senti um gosto amargo na boca, provavelmente o sabor do sapo engolido. E outra vez, faço uma reverência ao tempo e ao vento, com suas interessantes reviravoltas. Passaram-se vinte e cinco anos e um dia, Manda-Chuva, cujo apelido nem se fazia mais tão justo, pediu uma audiência com a presidência da Coopercica, obviamente sem se lembrar de nada disso. Na ocasião, explicarei adiante, a cooperativa de consumo já se tornara uma das maiores do país, e, para o azar de Manda-Chuva, eu já era o presidente.

Manda-Chuva era um dos acionistas da cooperativa e solicitou a audiência para perguntar como estavam as coisas. Foi a hora de desabafar...

— Viu; você ainda trabalha? Ainda faz crueldades como a que fez comigo?

— Como?

— Você me mandou fazer um levantamento com desnecessária urgência, que mais parecia contagem de agulha no palheiro. Tentei explicar que a contagem não fazia sentido e você não me ouviu, só deu a ordem. Movimentei amigos e investimos o fim de semana inteiro na empreitada inútil que resultou num relatório não analisado. Com toda a formação que você tem, só uma coisa consegui aprender contigo: o que não se deve fazer com os colaboradores e com os semelhantes.

— Veja bem, Orlando, as coisas de uma empresa às vezes são complicadas e você sabe disso, né?

Antes que ele tentasse seguir com a ladainha, continuei.

— Você precisa ouvir essas coisas porque duvido que outra pessoa tenha coragem de te dizer, e, para fechar, te informo que aprendi com os operários da empresa o dobro do que aprendi contigo. Bom, mudando de assunto, você veio até aqui saber como anda o seu investimento. Pode dizer o que deseja saber. Aqui, somos transparentes e temos qualquer informação para transmitir agora, sem a necessidade de reunir uma multidão.

O que vi, aprendi e recomendo para a vida

Manda-Chuva abaixou a cabeça, pediu licença e deixou a minha sala. Não se desculpou, não reconheceu, mas saiu de lá, quero crer, incapaz de repetir semelhante crueldade com alguém.

Deveria ter dito tudo isso para o Manda-Chuva antes e não o fiz por uma boa razão. Estava tão ocupado em observar pessoas boas e agregadoras que me esqueci dele. Porém, não deixaria a oportunidade passar em branco. Ele não me pediu *feedback* e nem era do tipo que o faria. Ainda assim, recebeu.

E assim era a Cica, uma empresa fantástica, visionária e justa, de quadro composto por pessoas maravilhosas, e outras, como em qualquer grande organização, nem tanto. Nos negócios, todavia, um dia é celebrado o ganho. Noutro, a perda. A empresa líder de segmento hoje, talvez acorde amanhã em último lugar. Faz parte do jogo empresarial. O diretor reuniu todos e foi transparente.

— O herdeiro do grupo confiou em terceiros que administravam o negócio e foi enganado. Como resultado, a empresa era fiadora de várias operações e foi acionada. Durante um ano, a Cica vai ter que pagar uma conta milionária de concordata. Eu sei que vamos precisar de horas extraordinárias em vários setores, porém a empresa não terá condições de arcar. Faço uma pergunta: quem se dispõe a trabalhar além de seu expediente para ajudar a Cica, que fez tanto por cada um de nós e que transformou a nossa região num lugar mais próspero?

Quem olhou ao redor, contemplou todos os braços levantados em unanimidade e muitas lágrimas no semblante daqueles que, como eu, eram apaixonados pela empresa.

É claro que ninguém trabalhava por altruísmo e contávamos com o salário, mas existia paixão pelas tarefas e amor verdadeiro pela organização que nos empregava.

Alguns sindicalistas, o que é lamentável, se especializaram em transformar a relação de amor entre pessoas físicas e jurídicas numa relação fria, que prevê somente empregador e empregado. Foi assim naquela época e pouca coisa mudou.

Com a concordata em andamento, tanta união foi empenhada que a empresa passou a ser ainda mais eficiente nos procedimentos. Uma maravilhosa irmandade foi formada e quem fechava seu expediente às 17h não se importava em trabalhar até as 21h. Antes de um ano, com o esforço de cada setor e de cada colaborador, conseguimos levantar o dinheiro necessário para que a empresa passasse por esse período turbulento.

Estávamos orgulhosos pela conquista e felizes pela empresa. Confesso que disparo certo olhar de saudosismo para essa época e quero deixar outra lição a quem pretende um dia alcançar os cargos mais cobiçados e mais disputados:

O dinheiro é fundamental aos que são empregados pela empresa, mas parece que o movimento sindical fez muitas pessoas se esquecerem da reciprocidade e da empatia: duas qualidades presentes em qualquer pessoa que alcança altos postos.

Devemos pensar com imparcialidade e com senso de justiça. Na cartilha sindical distribuída depois dessa época, ficava a impressão de que o empresário é o carrasco e os empregados são escravos.

A CLT protege essa relação, evita perdas ou abusos, e não há um item na consolidação das leis trabalhistas que incite o ódio, como adoram fazer alguns dirigentes sindicais.

O que vi, aprendi e recomendo para a vida

O que a Cica fez pelo desenvolvimento da região em que se instalou mudou para melhor a vida dos colaboradores e de suas famílias. Cada colaborador seria capaz de reconhecer tal realidade, o que nos leva ao ápice da reflexão, a entender, mediante duas probabilidades:

1. Você acha que alcança o cargo de confiança e senta na cadeira de comando o executivo disposto a aceitar, sem enfrentar a cultura do ódio, alegando que amor não traz lucro?

2. Ou o perfil que as empresas procuram é o do executivo disposto ao diálogo, que não se curva aos interesses que visam a ferir de morte a relação de amor entre empresa e colaborador?

Quem optar pela primeira, está fora do jogo executivo. Para com a segunda, resume o que as empresas buscavam em minha época e buscarão em todos os tempos; líderes capazes de enxergar e fomentar o amor, prontos para enfrentar e impedir a passagem do ódio.

O capítulo teve início com uma pergunta:

O que você seria capaz de fazer pela empresa?

A resposta que escolher é suficiente para dizer se existe em você potencial para alcançar os mais altos cargos...

Capítulo 14

Quem é você: puxa-saco ou formador de opinião?

Capítulo 14

É a resposta que todo líder deve buscar. Quem teme ser considerado puxa-saco porque executa o melhor e o mais justo trabalho pode se juntar à massa que não gostaria de tal responsabilidade.

O movimento sindical atraiu alguns líderes da empresa para a sua causa. Esses, por sua vez, começaram a fazer aquilo que hoje seria considerado assédio moral, mas que na época chamávamos de pressão psicológica.

Assegurados pelo suposto direito garantido de estabilidade, e, por serem membros sindicalizados, pintavam e bordavam. Colocavam o nome de quem se opunha aos movimentos grevistas no boletim do sindicato e fixavam nas paredes da empresa. Por exemplo:

O puxa-saco Raimundo, líder do setor de embalagens, não permitiu que os seus subordinados aderissem ao movimento.

O constrangimento de ter o nome exposto resultou num temor geral, até que entrou um diretor de peito e mudou toda a história. Certo dia, ele chegou para trabalhar e descobriu que as empilhadeiras haviam sido amarradas pelos grevistas. Quis saber quem era o responsável pela afronta, e, quando foi informado, disparou a ordem.

— Demita!

A área de Recursos Humanos o questionou.

— É que eles têm direito adquirido. São diretores do sindicato.

— Ah, é? Eles que procurem os seus direitos na justiça. Vamos apelar até a última instância. Pode demitir!

Por retaliação, o sindicato decidiu convocar uma greve. Escolheram o turno da noite, que tinha oitenta pessoas, o menor número de colaboradores, contra três mil dos demais períodos. A estratégia consistia em convencer esses oitenta, e, quando a massa de colaboradores chegasse, a fábrica já estaria fechada. A informação vazou e fizemos uma reunião entre as lideranças. O velho amigo *Pessim* estava viajando e me pediu para representá-lo. Somando as nossas áreas, respondíamos por centenas de colaboradores.

O diretor tinha a palavra (leia-se a partir daqui valores "de mera referência ilustrativa" porque pertencem ao período que antecedeu a moeda do real hoje utilizada):

— Nós temos que evitar essa greve política. Não se trata de salário. Estamos pagando acima do piso. Uma avícola do mercado foi paralisada pelo mesmo movimento e resultou num salário médio de 8.400. Na Cica, pagamos 11.500 de piso sem a necessidade de pressão sindical.

Os líderes estavam com receio de ver o nome parar no boletim do sindicato, onde seriam expostos como puxa-sacos.

Voltei o pensamento, outra vez, à mentalização da fé. Perguntei, intimamente, ao infinito.

Isso o que está acontecendo é injusto com a empresa e com os colaboradores. Sou eu a pessoa a resolver a situação?

E uma certeza sem margem para qualquer dúvida tomou conta de mim.

Levantei a mão e pedi a palavra ao diretor.

— Eu posso resolver. Vou levar no mínimo uma centena de colaboradores para desbancar o sindicato e convencer os outros oitenta de que o sindicato assediou.

— E você afirma assim, mesmo sem ter falado com o seu time?

— Garanto que levo. Eles acreditam na empresa e em mim, assim como eu acredito em suas palavras e sei que é uma greve política. Se a empresa estivesse errada, eu não compraria essa briga, mas não é o caso. Pode confiar em mim!

O diretor não pensou duas vezes.

Elegeu-me líder da contenda e pediu para que a área de Recursos Humanos providenciasse, do ponto de vista logístico, tudo que eu solicitasse e orientasse.

Faço uma pausa de aprendizado na narrativa para convidar você a refletir sobre a diferença entre puxa-saco e formador de opinião: a massa não segue puxa-saco.

No setor, expliquei as motivações e encontrei apoio unânime. Contratamos um ônibus e fomos embarcando os colaboradores pró-empresa, a saber, que enfrentariam o sindicato ao meu lado.

Chegamos de surpresa, com aproximadamente 150 colaboradores, quase o dobro dos oitenta que o sindicato seduzira. Quando o líder sindical me viu à frente, ficou desesperado e usou o microfone.

— Esse pelego do Orlando Marciano trouxe um bando de puxa-saco. Vejam como é a diferença. Na granja Betinha, o líder estava ao nosso lado, e, como podem perceber, o líder da Cica chegou com dois ônibus cheios de puxa-sacos que estão ao lado do patrão.

De onde estava, para ser ouvido, precisei gritar.

— Viu; o senhor me concede o direito de fazer uso da palavra ou só o senhor que pode falar?

O pessoal que foi comigo começou a gritar palavras de ordem e exigir que ele me deixasse falar ao microfone. Acuado, o sindicalista não viu escolha e cedeu. Com o microfone na mão, olhei para os colaboradores da Cica seduzidos pelo sindicato e comecei.

— Vocês, oitenta que estão do lado de lá, estão sendo usados por essas pessoas desumanas. A granja mencionada por esse senhor ficou quarenta dias paralisada para conseguir um salário abaixo do que vocês já têm na Cica. O senhor sindicalista pode falar ao microfone quanto o seu sindicato conseguiu de salário para a turma da granja Betinha?

Ele ficou calado e os oitenta da audiência, antes do lado dele, passaram a exigir que respondesse. Eu insisti.

— Vamos lá, responda. Como diretor do sindicato, você não sabe? Eu sei!

— 8.400 – respondeu ele, visivelmente constrangido.

Foi a minha deixa.

— Por iniciativa própria, a Cica está pagando 11.500, valor muito acima do que esse sindicato conseguiu depois de deixar os profissionais quarenta dias parados. Então pergunto, essa greve para quê? O sindicato está usando vocês como massa de manobra para protestar contra aqueles que foram demitidos porque eram colaboradores da empresa em teoria, e, na prática, trabalhavam para defender os interesses parciais do sindicato!

Voltamos todos para a fábrica, inclusive aqueles oitenta, que viraram as costas e deixaram os sindicalistas falando sozinhos.

Um cara desconhecido pela diretoria mundial da empresa enfrentara e calara os interesses escusos do sindicato. Isso não passaria em branco. A empresa, àquela altura, fora comprada por uma companhia italiana e o caso teve repercussão internacional. Eu, que nem falava italiano, fui colocado para dialogar com os diretores de lá.

— O que você quer de prêmio, Orlando?

— Prêmio? Não quero nada. Fiz o meu trabalho e impedi uma injustiça. Eu trabalho com transparência, com honestidade e com respeito. Já que o senhor me pergunta, gostaria de sugerir que vocês sigam esses três critérios, principalmente nos processos de demissão.

— E o que você quer dizer com isso?

Em minhas mãos, estava a chance de melhorar a vida dos colaboradores e de garantir critérios mais justos na hora de demitir alguém. Eu precisava aproveitar...

— Fortaleçam as pessoas. Todo colaborador deve dar o melhor de si, mas merece trabalhar sem medo de ser demitido. Recentemente, vocês pediram que cada área demitisse 10% da folha e o único critério levado

O que vi, aprendi e recomendo para a vida

em conta foi o tempo de casa. A empresa dispensou os mais novos, com frieza, e não conversou com os líderes para avaliar as exceções. O certo é punir quem de direito e valorizar os bons. Vocês não fizeram isso. O senhor me pergunta o que eu quero de prêmio? Aí vai: vocês demitiram uma pessoa de minha confiança que tinha sido promovida e estava há três meses ocupando o cargo de supervisor. O nome dele é Luiz. Estava em minha equipe e trabalhou dez anos como conferente. Aos olhos do sistema, ele "só tinha três meses", e, por isso, foi dispensado; uma injustiça sem tamanho. Tentei intervir e ninguém me escutou. O mesmo aconteceu com outras três pessoas de setores vizinhos. É isto que peço como prêmio: que a empresa tenha mais humanidade e menos frieza ao avaliar o ser humano, e que não tratem as pessoas como se fossem um número impresso no crachá.

O diretor italiano deu o seu veredito.

— A partir de hoje, todo processo de demissão em massa vai passar antes por você, que será o nosso filtro final. Você está promovido a partir de agora e vai nos dar assessoria sobre o assunto da humanização. Quanto aos que foram demitidos pelo erro do sistema, serão recontratados amanhã. E para você, o que gostaria? Quer dar uma volta ao mundo?

Outra vez fui incisivo.

— O justo basta e não carece de premiação. É por isso que os colaboradores me respeitam. Eu me sentiria ofendido se recebesse algum prêmio financeiro. Da mesma maneira, se a empresa estivesse lesando os funcionários, eu não teria subido naquele caminhão para brigar com o sindicato. A sua decisão de recontratar os injustiçados já é um grande prêmio!

O diretor italiano ainda não se deu por vencido.

— Bom, então eu quero fazer alguma coisa pela sua equipe. Poderia ser?

— Aí sim. Isso eu posso aceitar. Quero um churrasco no clube para o meu pessoal.

— Ainda me parece pouco, Orlando. Ouvi dizer que o cantor Jair Rodrigues faz sucesso aí na região. Que tal um show dele nesse churrasco?

Ele viu que eu estava com os olhos marejados e continuou.

— Você vai escolher o melhor chopp e o melhor churrasco. Obrigado por nos ensinar. Vou pedir aos outros responsáveis que propaguem o seu jeito de liderar!

Assim que pude, muito feliz, telefonei para o colaborador Luiz.

— Viu; você pode voltar amanhã. Recebi como prêmio da matriz a recontratação daqueles que foram demitidos de maneira injusta.

Até hoje, Luiz trabalha comigo na Coopercica. É um comprador que tem minha confiança integral, além de um amigo querido.

O churrasco foi fantástico, e, além de Jair, até as mulatas vieram alegrar a turma. Alguns dias avançaram e recebi um telefonema. A voz ameaçadora tentou me intimidar.

— A gente sabe onde você mora e onde o seu filho estuda.

— Você está falando com um Marciano. Se vai matar alguém, mate a família inteira. Tenho irmãos, sobrinhos, tios e se fizer mal para qualquer um de nós, não existirá lugar em que possa se esconder.

O que vi, aprendi e recomendo para a vida

As ligações cessaram. E para concluir o capítulo, percebe como a diferença entre quem forma opinião e quem puxa o saco é gritante? Formamos opinião, e, naquele dia, semeamos a cultura do bom relacionamento no fértil terreno da empresa, a matriz. A colheita e o futuro estavam garantidos...

Capítulo 15

Gestão de conflitos não é gestão por conflitos

Capítulo 15

Mudar não é um, e sim o caminho. A diferença parece sutil e conectada ao aspecto semântico. É mais do que isso. Vejamos um exemplo. Gabriel compreende que mudar é um caminho. Fernanda compreende que mudar é o caminho.

Gabriel cogita algumas alternativas. Talvez aceite a mudança, adie para o próximo ano ou prefira insistir naquilo que já existe. Fernanda tem mais chance de alcançar uma cadeira executiva porque vê a mudança como o único caminho.

Assim é a vida à frente de grandes negócios. A cada dia, surge uma mudança drástica, algo novo a ser enfrentado ou alguma demanda com cara de impossível.

Nunca pensei em deixar de lado o enfrentamento. Desbaratei duas quadrilhas instaladas na Cica. A primeira superfaturava as obras de manutenção. A segunda, cometia desfalques vultosos na área de sacaria. Adiante, descobri um colaborador que usava a marcenaria da empresa para fabricar móveis de sua residência.

Um a um, fui enfrentando cada ato ilícito e cada colaborador disposto a gerar prejuízo para aquela empresa que aprendemos a amar. Até que chegou o caminho da mudança. Depois de 23 anos na Cica, surgiu a chance de presidir aquela que se tornaria uma das maiores cooperativas de consumo do país, a Coopercica.

O cooperativismo não era exatamente uma novidade. Nos tempos de fazenda, eu fazia a compra dos colonos, ia até a cidade, valorizava o volume de consumo e comprava tudo em massa, aos melhores preços, para aumentar o poder de barganha. Mas vou contar como foi essa difícil mudança, pois há de inspirar os seus processos de grande transformação e de enfrentamento:

A função de quem preside um negócio deve ser direcionada ao conjunto de estratégias, com atenção redobrada para a harmonia de toda a equipe e a habilidade de delegar. Entretanto, delegar não é esquecer que determinado processo ou setor existe.

Fala-se muito, por exemplo, sobre a corrupção na gestão pública. Mas, dentro dos muros corporativos, sobretudo quando o gestor fecha os olhos para os processos operacionais, a corrupção também dá um jeito de mostrar suas diversas faces.

Do cabo da enxada que calejava minhas mãos até ficarem em carne viva ao cume da liderança corporativa, muitas pedras surgiram; algumas circunstanciais. Outras, humanas. E quem deseja crescer como executivo não pode abrir mão da humildade e da valorização ao esforço dos semelhantes. Por outro lado, não deve fechar os olhos para nada que seja ilícito ou danoso à estrutura da empresa e do negócio.

No fim da década de 80, a Coopercica havia transcendido, e, além de fornecer produtos aos funcionários, passávamos a atender também as empresas da região. Uma dessas companhias quebrou, deixando enorme dívida, o que colocaria em risco o financeiro de nossa empresa. O presidente malhou o gerente, diga-se, fazendo gestão por conflito, em vez de promover a gestão do conflito estabelecido. Nessa ocasião, eu atuava como diretor e ainda tinha vínculos com a Cica. Fiquei inconformado e argumentei.

— Viu, me diga uma coisa: você não se resguardou, não exigiu garantias? Antes de tratar o gerente como se fosse o único errado na história, você foi até a empresa tentar resolver e receber o dinheiro?

O presidente me olhou com visível irritação e respondeu.

— Ok, Orlando. Então, vou te incumbir disso. Várias pessoas já foram até lá e nada conseguiram.

Ele não sabia que todo desafio me fortalece e que a minha fé e a conexão com algo maior abrem caminhos. E lá fui eu: fazer o que tantos tinham tentado. A empresa devedora era gerenciada por dois jovens irmãos. Descobri que a mãe deles, uma senhora viúva, muito educada e sensata, também fazia parte da gestão. Dei início ao diálogo.

— Eu sei que vocês estão passando por um momento difícil e lamento muito. Porém, tenho uma situação muito grave a resolver.

— Pode dizer, meu filho, o que houve?

Ela nem conhecia o problema. Continuei.

— O montante que a empresa de vocês deve à nossa não faz parte da massa falida. Já foi descontado do salário dos funcionários. Eles pagaram pelo próprio alimento. Alguém se equivocou e não repassou o montante.

Ela pensou por um instante, anotou o valor num pedaço de papel e respondeu com muito afeto.

— Filho, eu concordo com você. Deve existir um jeito. Vou falar com o advogado. Aliás, dentro de quinze dias, se a burocracia do processo não permitir que isso se resolva, farei um cheque da conta pessoal para liquidar a dívida. O alimento é sagrado, e, se os nossos funcionários nutriram as famílias com os produtos de sua cooperativa, não é justo que fiquem com o prejuízo.

Diante dos maiores desafios, a fé sempre me aproximou de pessoas como ela. Deixei seu escritório vibrando, feliz e grato.

Uma quinzena depois, ela me chamou e pediu para que eu levasse o recibo de quitação. Quando lá cheguei, o cheque estava pronto.

Aos olhos da cooperativa, a inadimplência continuava sem solução, pois deixei para dar a boa notícia na reunião da diretoria, o que ocorreria no dia seguinte. Antes de entrar na sala, o clima era de sarcasmo. Do corredor, escutei um comentando com o outro:

— Ué, cadê o bonzão? Recebeu o dinheiro?

Entrei e interpretei. Cabisbaixo, com semblante de derrotado, esperei a previsível sabatina.

— E aí, Orlando, conseguiu alguma coisa daquela empresa falida?

— É, realmente a coisa não é fácil – respondi, demonstrando resignação.

— Você não disse que iria até lá defender os nossos interesses?

Com muita calma, eu os desafiei.

— De fato, reconheço que receber esse dinheiro não é tarefa para amadores. O cara que conseguir, se é que existe a possibilidade, deveria ser presidente. Concordam?

Eles disseram que sim, e quase todos riram de meu suposto insucesso. De repente, tirei o cheque do bolso, coloquei-o sobre a mesa, e disse, com muita calma:

— Então, por favor, registre-se na ata que eu, Orlando Marciano, sou candidato à presidência da Coopercica nas próximas eleições.

Os risos e gracejos deram lugar a um silêncio profundo e constrangedor. A eleição ocorreria em um trimestre, eles já tinham chapa e gostariam de vê-la eleita.

— É alguma brincadeira, Orlando?

— Não. Vocês concordaram; quem conseguisse receber essa fortuna que colocaria em risco toda a nossa operação, mereceria ser presidente da empresa. Logo, sou candidato.

Olhei para os dois diretores aliados e pude ver um discreto sorriso de satisfação em seus semblantes. Quanto aos demais, o jeito foi registrar a candidatura em ata, mesmo a contragosto.

Cabe, então, validar outra lição. Quando alguém disser que tudo foi feito e nada se conseguiu, duvide, vá em frente, renegocie e prove que "impossível" não passa de uma palavra, por sua vez inventada por quem insiste em gerenciar a vida e a carreira com pouca disposição para sair da cadeira.

Dias depois, recebi propostas diversas. Concorrentes da outra chapa tentaram uma fusão. No fundo, sabiam que eu tinha chances reais de vencer e articulavam. Recusei a aliança e tentaram invalidar a minha candidatura. Como não tinham elementos para isso, chegaram a registrar outra chapa. E mais uma vez, debocharam.

— Sua chapa melou, né, Orlando? Ficamos sabendo que outra chapa entrou na disputa e a sua vai ficar de fora.

Eu os ignorei, e, suspeitando de algo errado, telefonei para os possíveis candidatos dessa chapa. Eles confirmaram minhas suspeitas. Não tinham se candidatado e os seus nomes foram usados inadvertidamente. Decidi denunciar a irregularidade.

Apresentei essa denúncia e o diretor de Recursos Humanos, que muito bem me conhecia, ouviu. Deu alguns telefonemas e descobriu o mesmo que eu: a chapa era fria.

— Orlando, chegou mesmo a hora de você assumir a presidência da Coopercica. Eu vou te desligar, como funcionário da Cica, para que você possa viver essa outra missão e cuidar de tantas famílias que precisam da cooperativa bem administrada. Vou apoiar a sua candidatura. Vá e defenda a chapa!

A chapa que não existia foi retirada. Faltando alguns dias, com receio de perder feio, os integrantes da outra chapa concorrente também renunciaram, alegando motivos particulares. Oficialmente, assumi a função de presidente da Coopercica, que naquele instante ainda era pequena, mas no futuro viria a ser uma das maiores cooperativas de consumo do país.

Nos meses e nos anos seguintes, sempre tentaram atrapalhar a minha administração. Contudo, idoneidade, honestidade e capacidade blindavam, naturalmente, o trabalho. Na eleição do ano de 2006, uma chapa surpresa surgiu. Cientes de que uma assembleia não é o tipo de evento que atrai multidões, por dois anos fizeram uma campanha silenciosa. Calcularam que bastaria levar 200 eleitores e o seu candidato a presidente ganharia, pois estimavam que 100 eleitores votariam em mim. No dia da assembleia, o candidato compareceu com os seus eleitores e com um advogado. E quando tive a oportunidade de discursar, não poupei a verdade.

— No chão onde vocês, que tentam assumir este legado, estão pisando, nossa equipe trabalhou muito. Partimos de uma pequena loja para quatro unidades. Foi difícil chegar até aqui. Nas mãos de pessoas desconhecidas por nós e desconhecedoras do segmento, um ano e este patrimônio pode ir para o ralo. Não faz muito tempo que outra renomada cooperativa foi assumida por um grupo semelhante, e, sem vínculo de amor, administrada com politicagem. Essa cooperativa quebrou de maneira meteórica. A decisão está nas mãos e nos votos de vocês que estão aqui. Além de ser um dos fundadores, eu amo esta empresa!

Em vez de 100 eleitores, como supunham os concorrentes, tínhamos mais de mil pessoas na assembleia e a vitória sobre o candidato surpresa foi esmagadora.

Outra lição pode ser compartilhada neste caminho.

Chegar é diferente de manter-se. No corporativo hierárquico ou nas empresas de formação estatutária, antes de desejar a mesa do principal executivo, é preciso provar que está pronto para ser promovido ou eleito.

No primeiro trimestre daquela que seria a primeira de muitas gestões, eu só anotava. Tínhamos um gerente "mandão" na empresa. Gestão por conflito era a sua especialidade. Na época, contávamos com uma loja e com aproximadamente noventa colaboradores.

— O João disse que o produto chegou hoje pela manhã e até agora você não o colocou para vender.

— O Pedro comentou que até agora você não consertou a registradora do caixa sete.

Esse era o seu estilo. Fui anotando o que deveria mudar. O clima era tenso, com muita fofoca e com pouca harmonia. Certa vez, uma pessoa que gostava de mim alertou sobre o que escutara desse gerente.

— Esse baixinho aí não apita nada, só fica anotando. É outro que vou colocar debaixo do braço!

— Na hora certa, eu vou falar – respondi, sem esticar a conversa.

Na semana seguinte, solicitei uma reunião. Era a hora de lavar a roupa suja.

O responsável por TI se gabava por não ter um manual. Estava tudo "em sua cabeça", e, supunha, equivocado, e isso fazia a empresa refém de seus caprichos. Ocorre que os afins se atraem e o rapaz era um dos propagadores do estilo gestão por conflito, alimentado pelo gerente. Fui objetivo...

— Viu, é o seguinte: esse fuxico precisa acabar. Quem sabe mais da área do outro, de agora em diante, vai se propor a ajudar ou trocar informação. A pessoa entende mais de depósito do que o próprio responsável? Ela ajuda, pega nas mãos e mostra, sem fofoca, como e o que esse responsável pode melhorar, ou prova que está mais preparada e se oferece para assumir o seu lugar. Quero pessoas com sinergia, remando para o mesmo lado, sem divisão de força.

O responsável pelo TI, visivelmente incomodado, disparou:

— Você está chegando agora e não sabe como a coisa funciona por aqui. Se eu apertar um botão, a partir de amanhã, não se vende mais nada. Posso parar cada *check-out*, se eu quiser.

Um velho dito popular diz que a maior sabedoria daquele que está progredindo é quando chega à beira do precipício e dá um passo para trás.

— Vamos interromper a reunião. Preciso pensar um pouco sobre o que fazer com todo esse poder.

Dei uma pausa, para não responder comprometido pela emoção. Telefonei para uma empresa de consultoria. Desejava saber se existia uma solução, sem prejuízos, para que não ficássemos "nas mãos" do colaborador. Gostei do que escutei:

— No máximo, em dois dias, nossa empresa decifra toda a leitura do sistema e estará pronta para entregar um mapa digital, para que isso não ocorra outra vez.

Ato contínuo, recrutei um profissional de TI com experiência em varejo. Ainda me lembro da prece que fiz.

Deus, eu não posso deixar esse desmando na empresa. Peço que ilumine a minha decisão, para que seja a mais certa e justa possível.

Agora sim, estava pronto. Quando retomamos, eu disse aquilo que o líder precisa falar em busca de harmonia entre a equipe, de solução nos processos e de crescimento das vendas.

— O senhor está demitido. Terá que exercer tanto poder assim em outro lugar!

Foi a vez de o gestor por conflitos defender o colega de TI.

— Orlando, isso está errado. Você pode quebrar a empresa com essa decisão. Só ele sabe mexer no sistema!

— É uma ordem. Como presidente, se a empresa quebrar por essa decisão, a responsabilidade é minha. E caso esteja com receio de que a empresa quebre e de que você não consiga receber os seus direitos, aproveite agora, enquanto a empresa pode te pagar, e eu demito você junto com ele. Quer ir embora?

Sua resposta foi um sussurro gago.

— Não, eu na-não quero!

Chamei o segurança e determinei outra ordem.

— Por favor, conduza o ex-funcionário até a saída. No trajeto, caso ele se aproxime de qualquer botão, pode imobilizá-lo e chamar a polícia.

O que vi, aprendi e recomendo para a vida

Sem o poder, não tardou para que o mandão, o gestor por conflito, pedisse para sair. E ainda tentou nos prejudicar de diversas maneiras. Levou segredos ao concorrente e fez até *lobby* com deputados, para aprovar leis em detrimento do setor.

Nossa empresa permanece firme, administrada por mim e pelos aliados. A gestão de conflitos sempre foi a nossa marca maior e as pessoas amam trabalhar na Coopercica. Ou seja, a lição que vale legar é a seguinte:

A fé representa a salvaguarda energética do executivo. A resiliência para não se curvar aos rivais, é a sua blindagem. A família é a luz, o porto seguro. O mercado é a sua arena. E o desafio, o seu mais nutritivo alimento.

Depois dessas primeiras ações destinadas a enfrentar o que estava errado, reparar os danos, retirar da operação quem deveria sair e resolver contendas judiciais que exigiram atenção, chegou o momento de aprendizado que vale eternizar:

Todo bom executivo deve pensar na estratégia e fugir, ao máximo, do operacional. Sempre entendi que o termo supervisor faz jus aos que têm uma visão macro de tudo. É preciso criar, pesquisar, ousar, e, como sempre, enfrentar as resistências. E assim, com os problemas resolvidos, precisávamos agora arregaçar as mangas da criatividade.

Em Jundiaí, formei um grupo com Edvaldo *Bronzeri* e outros supermercadistas. Estávamos empenhados em retirar de circulação a insalubre sacolinha plástica distribuída por redes de supermercados e por cooperativas. O plano era substituí-la pela sacola biodegradável, e, para os clientes de perfil mais planejador, venderíamos sacolas maiores, reforçadas e retornáveis.

Os mercados menores alegavam que não teriam o mesmo poder de barganha que os maiores, e, a todo instante, deixamos patente que aquela ação era ambiental, e não comercial. Insistíamos que o objetivo não era o lucro com a venda de sacolas biodegradáveis, e sim formar uma nova cultura.

Todas as etapas tiveram a atenção de primeiro mundo. Foi um ano e meio de esforços para a conscientização. Inserimos pequenos filmes sobre consciência ambiental, investimos em propaganda nos ônibus, treinamos os colaboradores para que soubessem explicar o motivo da substituição, nos reunimos com as autoridades de fiscalização e preparamos a população. Cada ata de reunião era registrada, mencionando ações, conquistas e problemas sanados.

Tudo ensaiado, era hora de traçar o piloto. Começamos a usar as sacolas biodegradáveis, a saber, em Jundiaí, e, por meses, íamos muito bem. Enquanto isso, alguns supermercados da grande São Paulo tentaram impor a cultura goela abaixo da população, por meio de uma lei criada à luz da pressa, que proibia, a partir do dia tal, os supermercados de fornecerem sacolas plásticas convencionais, obrigando-os a vender a sacola biodegradável.

É claro que a população, desinformada, se sentiu injustiçada, protestou e não tardou para que a lei fosse derrubada. Em vez de informar que a sociedade faria um esforço ambiental, informou-se que cada cliente deveria pagar por sua sacola.

No curto espaço de dois meses, um ano e meio do meticuloso planejamento jundiaiense sucumbiu diante do despreparo da região metropolitana que não soube interagir com a população, como fizemos em Jundiaí.

Na época, com a discussão ganhando cada vez mais espaço na mídia, em rede nacional, fui entrevistado pela TV Globo. O jornalista fez a seguinte pergunta:

— A lei diz que o supermercado é obrigado a fornecer sacolinha. O senhor acha que a lei não deveria ser cumprida?

— Eu acho que se determinada lei não é funcional, deve ser revogada. Discordo de que se continue a cumprir uma lei enquanto o meio ambiente é prejudicado!

Em algum instante, o assunto será rediscutido. Preservar a natureza não é um desejo meu, e sim uma necessidade mundial. E como eu não poderia passar a vida inteira tentando convencer as organizações, os políticos e a imprensa sobre essa importante questão, direcionei o olhar para outras carências do consumidor.

Em 1990, eu já tinha travado outra batalha: oferecer batata inglesa lavada na prateleira. Quem tem um pouco mais de idade há de se lembrar de que antigamente a mercadoria ficava exposta tal qual era entregue pelo fornecedor: algumas vezes suja. Outras, podre mesmo. A dona de casa precisava colocar um saquinho na mão, porque aquele cheiro de batata podre impregnava. Perdi (temporariamente) a batalha das sacolinhas biodegradáveis para a burocracia e para a típica dificuldade comercial ou legislativa de aceitar mudanças, mas essa batalha, embora tenha sido ideia minha, não diria que eu ganhei. O sistema nacional de consumo, que merece respeito e higiene, ganhou. Hoje, o cliente encontra a batata limpinha na bancada dos estabelecimentos. Confira como tudo começou...

Do mesmo jeito que levei para a Cica parte das lições de enfrentamento aprendidas com o meu pai, importei as lições seletivas dessa grande empresa para o setor supermercadista, que por sua vez aprendeu com a Coopercica, no segmento cooperativista, a atender com excelência.

Então, em 1990, identifiquei o fornecedor que entregava batata do tipo *Binge* para a companhia, negociei o melhor valor para a cooperativa, e, pouco tempo depois, nossa bancada tinha algo que nenhum estabelecimento oferecia no país inteiro: batata limpa e classificada[8]. A batata foi protagonista dessa mudança exitosa, que repetimos com a cenoura, com a mandioca e com todos os demais produtos. Além disso, disponibilizamos um lavatório na frente da feirinha e a dona de casa não precisava mais ir até a entrada da loja lavar as mãos.

O sucesso foi incalculável, e, felizmente, os concorrentes foram copiando a ideia, de região a região, até que a cultura de oferecer produto limpo foi enraizada pelos quatro cantos e alcançou o exterior. Uma delegação europeia esteve no Brasil para conhecer de perto o modelo de higiene e funcionalidade que geramos na Coopercica.

Ainda em 1990, bem antes de que a lei impedisse os açougues de usar base de madeira para corte de carne, na Coopercica usávamos a base de plástico atóxico, importando ideias de higiene da própria Cica. E lá veio a concorrência, outra vez, copiar o que é correto, ainda que mais caro.

Os nossos açougueiros usavam luva com malha de aço e não registrávamos acidente, enquanto a concorrência colecionava esses tristes eventos.

A luva, o lavatório, a classificação dos produtos e tantas outras ideias foram copiadas e isso me felicita. É positivo ver a concorrência padronizando ideias que fazem evoluir o consumo dos clientes e o bem-estar dos colaboradores. Mas o que toca mesmo o meu coração e desejo validar como parte da cartilha dos líderes é o seguinte:

---

8 Se o distribuidor adquire produto "classificado", o produtor é obrigado a selecionar e retirar da entrega os itens porventura apodrecidos.

Sem xenofobia alguma, afirmo que não é só o norte-americano, o asiático e o europeu que têm capacidade de transformar ideias em execução. Se cada um de nós, brasileiros, defendesse uma inovação útil a qualquer país, mais de 200 milhões de soluções verdes e amarelas mudariam o mundo.

E você achou mesmo que eu me referia, pura e simplesmente, a batatas lavadas? O Brasil é composto por muita gente boa, competente, criativa e capaz de colocar em prática aquilo que pensa. Não faça como alguns que desistem assim que encontram um político, uma lei ou uma tendência de difícil enfrentamento. Eu não desisto enquanto houver algum recurso para lutar e sugiro que faça o mesmo. Quem sabe, um dia, nos encontraremos para "trocar ideias sobre as ideias" de tudo aquilo que um dia defendemos como certo?

Vamos em frente e em busca da transformação como elemento de desejo nos negócios e na vida. Lembremos de que enquanto o ser humano contempla a mudança como um caminho, talvez nada mude. E assim que passar a ver a mudança como o caminho, o mundo, com toda a certeza, se tornará um lugar melhor e maior para se viver.

Capítulo 16

Enfrentar os políticos é papel de quem?

Capítulo 16

— Orlando, conto com o seu voto e com o das tantas pessoas que você lidera, hein?
Foram as palavras de um deputado que encontrei por acaso. Algumas semanas se passaram e soube pela imprensa que, naquele instante, havia sessenta sequestros em andamento no estado de São Paulo. O governo estava sendo massacrado pela opinião popular e, diga-se, com razão.

Na mesma matéria, constava uma entrevista do tal deputado que me pedira o voto para a eleição vindoura. O deputado comparava os números da polícia paulista aos números de forças policiais estrangeiras. Segundo o seu tendencioso cálculo, a cada 100 mil habitantes, os números do Brasil estavam alinhados e até superiores. Em suma, defendia que a nossa polícia era mais eficiente nas prisões do que as forças americana, italiana e russa.

O que vi, aprendi e recomendo para a vida

Solicitei a ajuda de meu filho Alessandro, e, juntos, fomos pesquisar a veracidade da informação transmitida pelo deputado na entrevista. Descobrimos que naqueles dias, nada menos do que 400 mil mandados de prisão estavam expedidos, porém ainda não cumpridos, e que 80% dos crimes cometidos não eram elucidados pelas investigações. É claro que as nossas estatísticas ficariam melhores. Não prendíamos por duas razões; ou não descobríamos o criminoso ou não o encontrávamos para cumprir o mandado e prendê-lo. Telefonei para o deputado.

— O senhor precisa respeitar os seus eleitores. Está achando que somos burros? Como pode dar uma entrevista e mostrar números tão mentirosos e mascarados?

— Ah, Orlando, é que o meu assessor...

— O senhor não confere as informações que transmite para a imprensa?

O deputado abriu o jogo.

— Está bom, Orlando. Vou confessar. É que o governador tem sido pressionado por todos os lados, com tantos sequestros sem solução. Então, o partido me orientou a dar uma força para ele.

— Contando mentiras? O correto não seria uma força-tarefa para criar uma ação? Não conte mais com o meu voto!

Acabou dessa maneira a conversa. A roda do tempo girou, e, no futuro, esse deputado foi eleito prefeito e exerceu uma gestão vergonhosa.

Na Coopercica, imprimíamos muitos panfletos com as ofertas ilustradas que entregávamos nas residências e nos comércios da região. O custo gráfico de um milheiro de panfleto girava em torno de 30 reais, mas a taxa cobrada durante a gestão desse prefeito, para permitir que a entrega fosse feita por um portador, estava fixada em 50 reais. Procurei o secretário responsável pela pasta, solicitei explicações e exigi mudanças.

— Senhor secretário, como pode isso? Voltamos ao tempo do feudalismo? A taxa do rei está mais alta do que o serviço?

— Não é assim que as coisas funcionam, Orlando. Você conhece as coisas da iniciativa privada. O poder público é complexo e qualquer mudança precisa de tempo e de amadurecimento. Não vamos mudar o sistema de taxa só por causa da reivindicação de um empresário.

— Viu; você está me rechaçando e nem me deixou falar. A sua postura é de dono da verdade e nunca acreditei em donos da verdade. Vamos fazer o seguinte: o ano que vem terá eleição e quero ver se o senhor vai falar comigo nesse tom!

Deixei a sala antes que ele respondesse e esperei que a roda do tempo, outra vez, fizesse as coisas girarem. Um ano depois, fui até um pequeno ato político dessa trupe, realizado no salão paroquial de uma conhecida igreja da região. Cheguei ao instante em que enchiam os olhos da população.

— Jundiaí é a oitava no IDH!

E tome aplausos dos correligionários.

— Com planejamento e com atenção, temos água garantida até 2050!

Mais uma ovação dos asseclas.

Pedi a palavra.

— A reunião é só para falar de coisas boas ou o eleitor tem o direito de se queixar também?

Eles concordaram (talvez tenham se arrependido) e me cederam o microfone.

— No ano passado, fui rechaçado pelo secretário da prefeitura ao levar uma queixa que aflige todo o setor supermercadista. Esse senhor que está sentado ali tentou me convencer de que é normal um serviço custar menos do que a taxa cobrada pela prefeitura. A taxa do rei é superior ao produto? Se os senhores que estão se candidatando discordam do secretário, o seu papel é educá-lo para que aprenda a receber os cidadãos que são contribuintes e que merecem ser ouvidos.

Um silêncio pesado tomou conta do salão, enquanto o secretário, visivelmente nervoso, cruzava e descruzava as pernas. Noves fora, uma semana depois dessa queixa pública, levaram o assunto para a discussão na câmara dos Vereadores e a nova taxa aprovada caiu para a quinta parte do valor anterior.

Em nenhum momento, defendi um interesse pessoal e tampouco tive a intenção de constranger o secretário. Ao reivindicar, resguardei o interesse setorial. Além disso, quem cavou o constrangimento foi o próprio secretário e eu só fiz o papel de enfrentar o que estava errado.

A experiência sugere três perguntas aos leitores:

1. Percebe como é possível mudar e fazer os políticos praticarem o que é justo?

2. Se a cada comício em que os falastrões disparam os seus números enganadores uma pessoa revelasse a verdade, como seria a política nacional?

3. Por que esperamos que apenas cada canal de imprensa, responsável por um CNPJ de quatorze dígitos, que não tem poder de voto, desmascare o que está errado, se quem elege o comando da trupe política é o cidadão detentor de um CPF com onze dígitos e senhor de seu voto?

É claro que sabemos a resposta certa. Em outra análise relacionada, como irão prosperar os executivos, os gestores e os líderes em geral que preferem ser omissos ou passivos enquanto os políticos desenham o futuro?

A política deve ser um campo de absoluto domínio da liderança e nenhum líder pode dar-se ao luxo de dizer que não gosta do tema ou "que tanto faz".

Outro embate que vale narrar para inspirar as pessoas a fazerem o mesmo deu-se com o secretário de obras. Solicitei uma reunião com o prefeito, a fim de questionar por que as máquinas de terraplanagem não estavam passando em determinadas estradas de terra castigadas pela chuva, a completar, com o secretário em questão presente. Para se defender, ele alegou o que quis.

— Orlando, você não sabe o que está falando. As nossas máquinas estão em operação frequente.

— Ah, é? Eu tenho aqui um registro da última ocasião em que as máquinas passaram. Foi em agosto e estamos nos aproximando do período de chuva. Se as estradas já estão com enormes crateras, imagine como ficarão. Prove que depois de agosto alguma máquina passou pela estrada, apresente-me um documento sequer.

O meu pai, na época com 80 anos e antes de ser diagnosticado com *Alzheimer*, estava ao meu lado nesse dia, e, indignado, desabafou.

— O meu filho não é homem de mentiras. Se ele está dizendo que sabe quando as máquinas passaram por lá, garanto que é verdade. E se vocês não o respeitam, respeitem a mim, um cidadão de 80 anos.

E virando-se para mim, com a paciência esgotada, o senhor Américo arrematou.

— Orlando, vamos embora daqui. Esses políticos são tudo "tranqueirada", bando de gente boa para pedir voto e ruim de serviço.

O prefeito, que até ali escutava em silêncio, pediu desculpas em nome do secretário e se prontificou a acompanhar o caso.

Uma semana foi o suficiente para que as máquinas estivessem de volta, cobrindo os buracos e preservando a estrada, fato que sugere outras três perguntas.

1. Tem cidadão que fica com um buraco na rua onde mora, em que cabe a roda do carro, mas não procura as autoridades. Por quê?

2. O buraco numa rua requer solução da prefeitura, mas é problema de todos. A crença comum é pensar que "não é da minha conta". Por quê?

3. Não há nada mais incômodo para o político do que ser questionado e enfrentado por seus eleitores. Creio que todos sabem disso. E poucos se dispõem, por quê?

Por último, outra experiência deve ser narrada.

Há quase dezoito anos, um candidato da região tentava ser eleito. Ele veio me pedir votos e fui sincero.

— Olha, o seu concorrente verticalizou Jundiaí antes de estruturar e de preparar a cidade para a verticalização. Não posso garantir que votarei no senhor, mas a minha família e o pessoal do trabalho estão dispostos a dar-lhe esse voto de confiança, e, embora pudesse convencê-los do contrário, vamos ver o que acontece. Devo adiantar que vou te cobrar, e, assim que você entrar, quero uma reunião.

— Pode deixar, está combinado assim que eu entrar, Orlando. Peço só três meses para acertar a casa, e, depois disso, marcamos uma reunião.

No fim, o partido do candidato fez coligação com outro partido mais forte, e, mesmo eleito, quem mandava era a outra ponta da coligação.

Antes de ele assumir, a Coopercica dera entrada na papelada para inaugurar uma loja no bairro Caxambu, em Jundiaí, que ainda não tinha recebido sequer uma grande loja supermercadista. Com tudo aprovado, convidei os políticos recém-empossados, inclusive o prefeito que prometera uma reunião. Eles não foram e ainda mandaram um recado:

— Não vamos liberar a sua documentação. A sua empresa não seguiu a lei do Estudo de Impacto da Vizinhança.

O lugar comportava o acesso de grandes caminhões para carga e descarga, um pátio generoso para estacionamento e um espaço para instalar suficientemente uma loja de grande porte. Se ali não era o lugar assim dito "ideal", não haveria outro.

A prefeitura me apresentou o projeto que "contemplaria" as tais necessidades. Previa a construção de um retorno na avenida da dimensão de um quilômetro, uma lombada eletrônica, um canteiro e uma passarela para os pedestres.

Outra vez me vi a refletir e me reuni com os políticos que assim exigiam.

— Viu; nós não somos administradores da cidade e eu não sou prefeito de Jundiaí. As obras que estão solicitando são de responsabilidade da prefeitura. O meu papel é construir a loja. Se precisar de uma lombada na rua, uma placa, é justo. Qualquer exigência acima disso seria uma tentativa da prefeitura de administrar a cidade com recursos da iniciativa privada. A Coopercica não tem condições para arcar com despesas dessa proporção, e, ainda que tivesse, não seria o correto.

— Mas está irregular e você tem que fazer!

— E por que a nossa loja estaria irregular? – perguntei, incrédulo com o que escutava.

O que vi, aprendi e recomendo para a vida

— Você não tem o RIT – Risco de Impacto de Trânsito.
— Nenhum comércio de Jundiaí jamais fez isso. Como eu devo fazer tais estudos?

A resposta do político me deixou ainda mais indignado.

— Bom, aqui a gente nunca fez. É uma lei federal. Verifique em São José dos Campos e pesquise na internet, parece que alguém por lá precisou disso.

Deixei a secretaria de obras desanimado e enfurecido. Ninguém sabia fazer o tal estudo. Três anos correram e a prefeitura não nos concedeu o documento que regularizava por completo a ocupação do espaço. Eu telefonava insistentemente para conversar com aquele prefeito que prometera uma reunião assim que fosse eleito e o homem estava blindado por diversas pessoas que se diziam autorizadas a falar por ele. Uma dessas pessoas, que tinha "cargo de confiança" e falava em nome do prefeito, tentou me mostrar o que estava errado.

— Orlando, você precisa fazer esse estudo e fim de papo, ou não terá documento. Que história é essa de falar com o prefeito? Pode falar comigo!

— Viu; você não é daqui, acabou de chegar, não conhece as necessidades de Jundiaí e só está falando comigo porque alguém te deu esse cargo. Eu não votei em você, votei no prefeito que esteve aqui para pedir voto e agora se esconde atrás de você. Aliás, faça-me um favor: avise o prefeito que vocês só ficarão um exercício na prefeitura. Em Jundiaí, ninguém tolera gente disposta a barrar o crescimento.

Com tantas reclamações dos munícipes, com a imprensa no pé deles e tão previsível como o nascer do sol, esse cidadão, junto com outros "cargos de confiança", foi demitido pelo prefeito, que finalmente se dispôs a me atender.

— Orlando, essa exigência me pareceu de acordo com a lei.

— A lei é federal, prefeito. Ninguém em Jundiaí está habilitado para fazê-la valer ou para nos indicar o que fazer. Isso significa que vocês estão nos forçando a um investimento milionário que nem mesmo um fiscal seu saberia sequer medir e mostrar como ou por que seria útil. A nossa loja foi montada num bairro enorme que comporta o projeto. Adoraríamos cumprir essa tal lei, porém o fato é que Jundiaí não está pronta, assim como a maioria das cidades, a colocá-la em prática.

— Entendo, Orlando, é um caso complicado!

Senti que o prefeito não estava disposto a resolver a situação e engrossei.

— Vamos fazer o seguinte: a Coopercica vai demitir 150 colaboradores e orientar cada um deles a bater na porta da prefeitura, para exigir explicações do motivo pelo qual vamos fechar a loja. E ainda vamos confeccionar uma faixa gigantesca com os dizeres "estamos fechando porque a prefeitura alega que um bairro desse tamanho não comporta uma loja do porte da Coopercica, e, quando vocês, moradores, precisarem de mantimentos, infelizmente terão que ir até o centro de Jundiaí". Você está brincando com um executivo sério e vai ver o quanto isso custa, prefeito!

Levantei-me e comecei a sair. Ele me chamou, pediu desculpas e mudou o rumo da prosa.

— Precisamos fazer uma ação na cidade para os cachorros sem vacinação e para os donos de *pets* que não podem pagar por tratamento e por castração, Orlando. Construa esse ambulatório para *pets*, que será administrado pela prefeitura. Faça a lombada na frente da loja e vamos liberar o documento.

Entendemos a causa como justa e investimos um dinheiro alto no espaço para *pets*: 45 mil reais. O prefeito fez a propaganda do ambulatório móvel, que, na prática, nunca funcionou. Ou seja, jogamos o dinheiro no lixo. O documento saiu, não por mérito do prefeito, e sim por direito nosso, já que nem mesmo uma grande loja da cidade fora obrigada a fazer tais estudos.

No ano seguinte, com a típica cara de pau dos políticos, o prefeito nos procurou para pedir votos.

— Por um longo período, o senhor nos impediu de acessá-lo, sacou da cartola uma lei que somente quem conhece é o autor, fechou a porta da prefeitura com pregos 22x44, torceu a ponta dos pregos, nos fez comprar a causa nobre do projeto para *pets* que jamais funcionou e agora quer votos?

Do jeito que apareceu, o político se foi, para nunca mais voltar. Eis a dica final; no intervalo desse tempo em que fomos obrigados a esperar, não atendemos a sequer um pedido de característica ilícita; sugestão que deve valer a todo presidente de empresa. Em vez de fazer o jogo sujo, que lutemos por nossos direitos. Ainda que demore, se estivermos em alinhamento com o que é certo, a justiça será feita.

Não foram poucos os que tentaram derrubar, lesar ou usurpar a Coopercica. Ninguém conseguiu.

A cartilha que estou deixando para o executivo que me suceder tem duas regras administrativas básicas que funcionam antes mesmo do êxito comercial que buscamos: valorização da honestidade e enfrentamento da desonestidade.

Conclusão e Recomeço

O que fazer depois da carreira executiva

Conclusão e recomeço

Até aqui, demonstrei tudo o que pode e o que deve ser feito ou enfrentado para conquistar o cargo máximo da liderança corporativa. Como estou prestes a deixar a maior parte das atribuições que cabem a um presidente de empresa, penso que é relevante deixar também algumas soluções para os leitores que precisarão, da mesma forma e em algum instante, fazer a transição para deixar o posto.

O mercado costuma relatar que se trata de uma decisão difícil, com chances reais de deprimir quem está deixando o seu legado para viver, em família, a merecida aposentadoria.

Eu não vejo dessa maneira. Aos poucos, me preparo para a despedida definitiva, de maneira gradual. Farei parte do conselho, e, gradualmente, deixarei, em definitivo, as decisões para outras pessoas capazes de zelar pela solidificação e pela expansão daquilo que criamos juntos; uma cooperativa de consumo justa.

Comecei a trabalhar com carteira registrada aos quatorze anos, embora tenha iniciado, sem registro, bem antes disso. Tenho 53 anos de trabalho ininterrupto. As únicas pausas ocorreram por ocasião das férias, e, cabe registrar que em períodos turbulentos, cheguei a ficar dez anos sem férias, não por ter imposição da empresa, mas por opção minha. Planejava um salário anual melhor, que proporcionasse o pagamento do pedaço de chão que nos fazia feliz.

Preocupado em oferecer uma narrativa que não fizesse menção apenas ao que fiz, não cheguei a comentar, ao longo da obra, sobre outros complementos de renda que busquei. Trabalhei como assistente dos corretores de imóveis, comprei e vendi produtos que iam de frango a automóvel e fiz tudo que pudesse, desde que fosse algo honesto, para alcançar os humildes anseios.

Sempre gostei de um bom cavalo, e, enquanto não pude ter os meus, cavalgava nos animais dos patrões. Hoje, tenho excelentes cavalos, e, se eu continuar na vida executiva, uma inversão do destino continuará a acontecer: quem vai cavalgar os animais que tanto amo serão os colaboradores que trabalham comigo. Percebe como é importante saber o momento certo de começar a parar?

Enquanto preparava o livro, o meu consultor literário chegou a perguntar se eu fazia planos de viajar pelo Brasil e de narrar essas histórias todas em palestras e em eventos diversos. Ainda me lembro do que respondi.

— Edilson, eu adoraria a oportunidade esporádica e estou me preparando para fazer isso, ocasionalmente, mas o que eu não quero é compromisso e obrigação.

Não me agradaria ter de ficar distante da família para viajar cinquenta vezes ao ano e ministrar palestras em incontáveis lugares. E se assim fizesse, só mudaria a função, mas continuaria a trabalhar. É claro que vou aceitar convites para uma palestra aqui e acolá, desde que a esposa possa viajar comigo, porém quero aproveitar a família, os amigos, a terra fértil, a cavalgada em boa companhia, a flora e a fauna que tanto amo, a boa moda de viola cercada de amigos, entre um trago e outro, o carinho de Rita, minha amada esposa, as vitórias acadêmicas dos filhos, a companhia de minha mãe...

— E o que mais está no radar dos seus planos? – insistiu o consultor.

Enquanto pensava na resposta, lembrei-me dos tantos convites para pescaria que recebera dos amigos ao longo dos anos, mas sempre precisava declinar. E respondi com o coração:

— Mesmo com a contagem regressiva do relógio biológico avançando, estou com boa saúde e quero aproveitar. Como sempre trabalhei bastante, a prioridade hoje é a minha esposa Rita, os filhos e os netos. Faço planos de construir uma pousada na serra e receber os amantes de trilhas radicais. Quero optar por algumas palestras e experimentar um pouco da transição. Amo a empresa que estou deixando e o convívio com tantas pessoas com quem dividi um verdadeiro legado. Vou até dar dicas para as pessoas que estão na empresa há muito tempo, no sentido de que também façam o desligamento gradativo. A minha vida é muito simples. Sempre evitei os excessos, os jantares pomposos que a vida executiva oferece e preferi a companhia dos amigos e dos familiares, com o franguinho caipira e com a couve bem verdinha e livre de agrotóxicos. Em vez de Ferrari ou iate, uma caminhonete de tração 4x4 para subir as montanhas da região me faz feliz. Ajudar os meninos a se formarem me enche de alegria, e, para isso, tenho alguns eucaliptos que não foram cortados, e, se preciso for, serão transformados no curso dos garotos.

— E o que é ganhar bem para você, Orlando? – quis saber, ainda, o meu consultor. A resposta estava na ponta da língua.

— É ganhar o suficiente. Eu tenho ainda mais do que preciso. Nunca tive um salário exorbitante enquanto executivo. Poderia ter reivindicado um ganho melhor e nunca o fiz. Vivenciei cada sonho e ajudei tantas pessoas o quanto pude. Prefiro contribuir com a empresa e permitir que ela tenha mais lucro para pagar o salário de outras pessoas competentes que virão depois de mim.

Terminadas as perguntas feitas pelo consultor, que se deu por satisfeito, quero também deixar uma mensagem final para quem leu todas as experiências, boas ou necessárias, que compartilhei.

Somos um povo abençoado que vive num lugar igualmente afortunado onde o que se planta, cresce. Cobre dos políticos, dos pares, dos líderes, dos vizinhos e exija que cada semelhante faça a diferença.

Não tema ser julgado por fazer o bem, pois quem está disposto ao contrário não teme ser julgado ou repreendido.

Ao melhorar o nosso cantinho, a nossa pequena aldeia, melhoramos o mundo. Pensemos como o beija-flor, que além de ser uma belíssima criatura, executa o seu expediente de polinização da melhor maneira, sem fazer corpo mole.

Inspire as pessoas e exija, com gentileza, a melhor parte que elas possam entregar. E para nos despedirmos, falta responder a uma pergunta que talvez esteja passando pela cabeça dos leitores: como medir se o executivo, o líder ou o gestor fez sucesso?

Existem duas setas que se direcionam para a carreira. Uma delas aponta para o volume de riqueza acumulada, e, desde que tenha feito o seu melhor de maneira honesta, não há nada de errado nisso.

A outra seta indica quem acumulou menos, e viveu em função de um legado, de um propósito. Nesse caso, quem se preocupa demais com pessoas e com propósitos, devo dizer, talvez não acumule tanto dinheiro, como foi, precisamente, o meu caso. Por outro lado, eu faria tudo outra vez.

Colocar a cabeça sobre o travesseiro e dormir o sono dos justos é melhor do que acumular dinheiro de maneira ilícita e passar noite após noite insone, à base de comprimidos, esperando que talvez a polícia federal toque a campainha pouco depois de o galo ter cantado.

Um dia, meus sobrinhos Rafael e André disseram:
— Tio, eu queria te agradecer.
— Por que, meninos?
— Por onde a gente anda em Jundiaí, as pessoas perguntam se o sobrenome Marciano tem relação com Orlando, e, quando comento que somos seus sobrinhos, as portas sempre se abrem. Obrigado pelo o que você fez ao nosso sobrenome!

Pergunto a você que pretende ingressar na carreira executiva honesta: quanto dinheiro isso vale?

Felipe, o meu filho, um dia me disse que queria ser juiz. Quando perguntei o motivo, escutei uma pérola.
— Porque o Brasil precisa de mais homens como o Joaquim Barbosa e como o Sérgio Moro.

Isso é legado. O restante é só dinheiro que vem e que vai...

O que vi, aprendi e recomendo para a vida

Espero que seja feliz e aproveite as humildes lições deste líder que aprendeu com a humildade, com a enxada, com o amor, com a retidão e com o enfrentamento.

Lembre-se: a gratidão é o que traz novos frutos.

Às vezes, fico do lado de fora do meu sítio, fazendo o que Charles Darwin fez a vida toda; observando. Chego a contar dezenas de espécies de pássaros em nosso pequeno paraíso. Uns comendo, outros ciscando ou procurando gravetos para o ninho. De repente, o cheiro da relva molhada pelo sereno da madrugada anterior invade os meus sentidos. Olho para o horizonte e vejo o sol despontando. Ouço crianças correndo pela casa, me procurando para um abraço, vejo a esposa, Rita, chegando com uma xícara de café quente nas mãos e com um amoroso sorriso no rosto. Lá do outro lado, minha idosa mãe vem caminhando, lentamente, em nossa direção, para um ou dois dedos de prosa. E depois de ver, ouvir e sentir tudo isso, concluo que fui um executivo feliz e bem-sucedido, assim como espero, de coração, que você encontre o melhor dos caminhos. Caso o seu GPS não esteja funcionando, traço a rota:

Aceite as duras lições que a vida impor, pois não existe sofrimento gratuito e tudo ensina. Se eu não tivesse sido o líder do lar em duas ocasiões, talvez não tivesse chegado tão longe.

Ignore as pessoas maldosas que nada têm a lhe agregar. Graças à orientação de minha mãe, ignorei o fazendeiro que um dia acelerou o carro e me fez comer poeira. Se ainda pensasse nisso como vítima, até hoje eu estaria comendo poeira nesta vida de meu Deus.

Faça contato comigo, diga o que achou da obra, vamos conversar sobre liderança, sobre gestão e sobre outras coisas. Se você aprovou o conteúdo e gostaria de uma palestra sobre as histórias dessa obra, me convide e irei até a sua empresa. Eis o meu e-mail: orlando.marciano@coopercica.com.br

E lembre-se: enfrente o que é errado e não fique em frente ao ilícito, como se não o enxergasse. Ande conforme o que é reto e nunca se conforme porque a maioria assim decidiu.

Por último, perdoe a quem um dia te fez sofrer, mesmo que esse alguém seja sangue do seu sangue, pois líder que faz sucesso com o coração cheio de mágoa, na verdade, não sabe liderar a própria vida.

Despeço-me, com o sentimento de gratidão a você que leu cada pedacinho do livro. Aí vai o que desejo, de coração:

Que os bons enfrentamentos da vida evoluam a sua existência!